Passport to Moscow

STUDENT'S BOOK

МОСКВА

Паспорт в Москву

(Passport to Moscow)

FIRST YEAR RUSSIAN COURSE

STUDENT'S
BOOK

L. M. O'TOOLE

Reader in Russian,
University of Essex

AND

P. T. CULHANE

Lecturer in Russian,
University of Essex

OXFORD UNIVERSITY PRESS

1972

Oxford University Press, Ely House, London W.1

GLASGOW   NEW YORK   TORONTO   MELBOURNE   WELLINGTON
CAPE TOWN   IBADAN   NAIROBI   DAR ES SALAAM   LUSAKA   ADDIS ABABA
DELHI   BOMBAY   CALCUTTA   MADRAS   KARACHI   LAHORE   DACCA
KUALA LUMPUR   SINGAPORE   HONG KONG   TOKYO

Printed in Great Britain
by The Pitman Press, Bath

Contents

6

Introduction

Passport to Moscow is a newly redeveloped version of the famous BBC/University of Essex experimental course known as *First Year Russian*.

It was originally designed more for students in evening classes, but it has been tried and found successful with all types of beginners. Experience shows that there is an optimum rate of learning for such students, and many earlier courses exceeded this rate, thus frustrating students by setting them an impossible task and by concentrating too heavily on grammar. We have sought to avoid these faults by a careful grading of materials and by using a series of connecting situations with an authentic background. The language used is modern everyday Russian and the situations in which the language is used are realistic and often amusing. Grammatical explanations are kept to the minimum found necessary during the validation of the course. Thus the starting point for the student is always the situation and never the grammatical point.

The philosophy behind the method is 'learn Russian by using it' and the course provides a large variety of materials for fulfilling this task. A reading program helps the student to recognise the Russian characters and learn how to read in a painless way, using a tape and a special grid on which the student checks his own accuracy. A writing program starts with letters formed like the English letters and then gradually and systematically helps the student to learn to write Russian script. For the development of oral skills we have provided dialogues, pronunciation and intonation exercises, situation-based drills and picture cards, and a specially composed series of songs designed to reinforce the materials taught, while at the same time enlivening the course.

All of these materials are closely integrated, and all relate to the basic situations of the dialogues. There is systematic built-in reinforcement of the material, by means of written and oral exercises and by tests after Lesson 10 and Lesson 21.

The course has been tried in some 280 institutions, from schools to universities and was welcomed as a breakthrough into a new generation of Russian language courses, being an advance on the existing American 'audio-lingual' and the French 'audio-visual' approaches. In the last three years, it has been developed further, taking into account the experience of teachers and students, and the advice of many Soviet specialists.

Acknowledgements

Our particularly warm thanks are due to Pierre Sviatopolk-Mirski, who made a considerable contribution to the first drafts of the dialogues, to Slawek Wolkowinski who wrote the reading texts, and to our late colleague John Midlane who was always so generous in suggestions for improving the course and who so ably handled the complex task of liaison with schools and colleges.

Many Russians have helped to improve the quality of the dialogues, drills and songs. We are particularly grateful to A.A. Bragina, who contributed a long and helpful review, to V.G. Kostomarov and A.I. Kochetkova of the Scientific-Methodological Centre for Language Teaching in Moscow, to V. Lipasov of the University of Irkutsk and A.A. Barbariga of the Odessa State University.

Dr. C.E. Gribble of the University of Indiana has been particularly generous with suggestions for making the grammatical explanations clearer and for modifying the course in the light of his experience of teaching Russian to students in the United States.

We would like to thank Mrs. Thelma Hsiung whose flash-card illustrations have helped to bring Boris Petrovich and company alive and Mrs. V. O'Toole for her arrangements of the songs.

A special debt of gratitude is due to our many colleagues in the Language Centre who have helped to bring the course into existence: to Miss Pamela Child, Mrs. Vanessa Cole and Mrs. Julia Harding for typing innumerable drafts; to David

Hill, Don Lilley and Michael Benson for technical
assistance in recording and duplicating the taped
materials; to Professor Peter Strevens for his
advice and tolerance; and to all the groups of
students of Russian who have gallantly performed
their role as guinea-pigs.

Film

A short (12 min.) colour-film on 16mm based on
First Year Russian has been produced by Ian Hart
and L.M. O'Toole. It is available on loan or for
sale from The Secretary, Language Centre,
University of Essex, COLCHESTER. Essex.

Pronunciation Guide

The only way to learn to pronounce Russian correctly is to imitate a good Russian speaker and learn to be critical of one's own pronunciation. This guide is designed to give a rough approximation of Russian sounds in nearly equivalent English syllables.

	Capital	*Small*	*Approximate English Equivalent*	*Russian Use*
1.	А	а	father	па́спорт
2.	Б	б	b	бага́ж
3.	В	в	v	Москва́
4.	Г	г	g as in good	бага́ж
5.	Д	д	door	коридо́р
6.	Е	е	ye as in yes	студе́нт
7.	Ё	ё	yaw as in yawn	всё
8.	Ж	ж	s as in treasure (but further back)	то́же
9.	З	з	z	му́зыка
10.	И	и	ea as in east	тури́ст
11.	Й	й	y as in toy	мой
12.	К	к	k as in musk	Москва́
13.	Л	л	l as in journal	журна́л
14.	М	м	m as in musk	Москва́
15.	Н	н	n as in journal	журна́л
16.	О	о	aw as in draw (but shorter in duration)	хорошо́
17.	П	п	p as in pass	па́спорт
18.	Р	р	rr as in curry (but rolled)	коридо́р
19.	С	с	s	па́спорт
20.	Т	т	t as in tuck	так
21.	У	у	oo as in fool	тури́ст
22.	Ф	ф	f	телефо́н
23.	Х	х	ch as in Bach	Ойстрах
24.	Ц	ц	ts as in counts	конце́рт
25.	Ч	ч	ch as in chimp	чемода́н
26.	Ш	ш	sh as in push (but further back)	слу́шаю
27.	Щ	щ	shch as in fresh cheese	ещё
28.		ы	no English equivalent. Something like the short i in pit, but the tongue is pulled back. Pay particular attention to the way this sound is made on the tapes in words like вы, му́зыка	
29.	Э	э	e as in Epsom	э́то
30.	Ю	ю	you	слу́шаю
31.	Я	я	ya	я слу́шаю

In addition to the above there are another two letters ь (soft sign) and ъ (hard sign). Neither of these letters occurs at the beginning of a word and they do not have a sound of their own. They merely modify the preceding sound.

The soft sign shows that the preceding letter is pronounced 'soft', which means that the tip of the tongue is turned down, while the middle of the tongue moves up towards the hard palate—hence the term 'palatalisation', which is often used to refer to softness (see Note 1), e.g. портфель.

The hard sign shows that the preceding letter is pronounced 'hard'. In Modern Russian this only occurs in the middle of a word.

Notes:

1. Hard and soft sounds

   The Russian *vowels* fall into two groups

   (i) а э ы о у that is, those which leave the preceding consonant *hard*.
   (ii) я е и ё ю that is, those which *soften* the preceding consonant.

   e.g. ко́мна<u>т</u>а – в ко́мна<u>те</u>. In which the <u>те</u> is an example of <u>т</u> being softened before a vowel of the second group.

Hard д – чемода́н	Soft д – студе́нт
Hard л – журна́<u>л</u>	Soft л – портфе́<u>ль</u>

   Most consonants undergo softening before vowels of the second group, although this is most marked with т , д and л. The consonants ж, ш and ц are permanently hard and cannot be softened by group (ii) vowels. Thus in тоже the <u>е</u> is pronounced as if in were <u>э</u>.
   Consonants ч and щ, on the other hand, are always soft.

2. Voiced and voiceless consonants

   A voiced consonant is one pronounced with an accompanying vibration of the vocal chords which does not accompany a *voiceless* (or unvoiced) consonant.

   Contrast in English:

VOICED:	<u>b</u>ay	<u>v</u>at	<u>d</u>in	<u>z</u>oo
VOICELESS:	<u>p</u>ay	<u>f</u>at	<u>t</u>in	<u>S</u>ue

   Similarly in Russian:

VOICED:	<u>б</u>ал	<u>В</u>а́ня	<u>д</u>а	<u>з</u>а
VOICELESS:	<u>п</u>ал	ка<u>ф</u>е́	та<u>к</u>	<u>с</u>канда́л

   Voiced consonants lose their voicing when they occur at the end of a word-group or before a voiceless consonant.

   e.g.
бага́<u>ж</u>	(where ж is pronounced as ш)
Кузнецо́<u>в</u>	(where в is pronounced as ф)
лимона́<u>д</u>	(where д is pronounced as т)
во́<u>д</u>ка	(where д is pronounced as т)
<u>в</u>чера́	(where в is pronounced as ф)
и<u>з</u> такси́	(where з is pronounced as с)

Conversely, voiceless consonants are normally *voiced* when a *voiced* consonant (other than в) follows:

та́к<u>ж</u>е (where к is pronounced as г)
о<u>т</u>де́л (where т is pronounced as д)

3. Stressed and unstressed vowels

Russian stress tends to be more emphatic than English stress. Consequently the sound of unstressed vowels is normally reduced or modified. In general the vowels which are most modified in unstressed position are o, a, e, and я.

(i) o and a as the initial letter of a word or in the syllable preceding the stressed syllable are both pronounced a: оди́н, <u>о</u>бра́тно, <u>о</u>тде́л, <u>о</u>ткры́тка; б<u>о</u>льшо́й, п<u>о</u>ртфе́ль, аэр<u>о</u>по́рт; <u>а</u>вто́бус, <u>а</u>дминистра́тор; р<u>а</u>бо́тать, кр<u>а</u>си́вый.

(ii) o and a in all other unstressed positions are both pronounced ə (like the last vowel sound in 'revision'): e.g. мо́жн<u>о</u>, спаси́б<u>о</u>; х<u>о</u>рошо́; рабо́т<u>а</u>, н<u>а</u>коне́ц.

(iii) e and я in unstressed positions are pronounced like a short и: м<u>е</u>ня́, е́д<u>е</u>м, дал<u>е</u>ко́, ду́ма<u>е</u>те; <u>я</u>зы́к, п<u>я</u>ти́; at the end of a word, however both of these vowels have a somewhat fuller value nearer to [ji] : в ку́хн<u>е</u>, да́йт<u>е</u>, or [jə]: Англи<u>я</u>, ста́нци<u>я</u>, Ва́л<u>я</u>.

(iv) ё always carries the stress. Note that in unstressed texts (i.e. most books printed in the Soviet Union) the two dots are not normally marked above this letter.

1. Пе́рвый уро́к

Диало́ги (Dialogues) Перево́д (Translation)

I. *Student Misha and tourist Boris Petrovich in the cabin of a Russian TU114 airliner, just landed at Vnukovo airport, Moscow.*

Ми́ша:	Ну, вот Москва́!	*Misha:*	Well, here's Moscow!
Бори́с Петро́вич:	Так э́то Москва́?	*Boris Petrovich:*	So this is Moscow, is it?
Ми́ша:	Да, Москва́. Вот аэропо́рт.	*Misha:*	Yes, it's Moscow. There's the airport building.
Бори́с:	Вы тури́ст?	*Boris:*	Are you a tourist?
Ми́ша:	Нет, я студе́нт. А вы?	*Misha:*	No, I'm a student. What about you?
Бори́с:	Я тури́ст. Вот портфе́ль. Это ваш портфе́ль. А где мой?	*Boris:*	I'm a tourist. Here is a brief-case. It is your brief-case. But where's mine?
Ми́ша:	Вот ваш портфе́ль. Чемода́н то́же ваш?	*Misha:*	Here's your brief-case. Is the suitcase yours too?
Бори́с:	Да, мой. А где мой па́спорт? Вот он!	*Boris:*	Yes, it is. Now where's my passport? There it is!

II. *Misha and Boris at the entrance to the airport building. A woman official in uniform checks their passports and luggage. First to Boris:*

Де́вушка:	Това́рищ, ваш па́спорт, пожа́луйста.	*Official:*	Comrade, your passport, please.
Бори́с:	Вот мой па́спорт.	*Boris:*	Here is my passport.
Де́вушка:	Вы тури́ст?	*Official:*	Are you a tourist?
Бори́с:	Да, я тури́ст.	*Boris:*	Yes, I'm a tourist.
Де́вушка:	Где ваш бага́ж?	*Official:*	Where are your bags?
Бори́с:	Вот мой чемода́н.	*Boris:*	Here's my suitcase.
Де́вушка:	А портфе́ль то́же ваш?	*Official:*	Is the brief-case yours, too?
Бори́с:	Да, э́то мой портфе́ль.	*Boris:*	Yes, this is my brief-case.
Де́вушка:	Вот ваш па́спорт. Спаси́бо.	*Official:*	Here's your passport. Thank you.
Бори́с:	Спаси́бо.	*Boris:*	Thank you.

III. *Official turns to Misha.*

Де́вушка:	А э́то ваш па́спорт, това́рищ?	*Official:*	And is this your passport, comrade?
Ми́ша:	Да, э́то мой.	*Misha:*	Yes, it is.
Де́вушка:	Вы то́же тури́ст?	*Official:*	Are you a tourist, too?
Ми́ша:	Нет, я студе́нт. Вот мой бага́ж.	*Misha:*	No, I'm a student. Here are my bags.
Де́вушка:	Это всё?	*Official:*	Is that all?
Ми́ша:	Да, всё. Где мой па́спорт?	*Misha:*	Yes. Where's my passport?
Де́вушка:	Вот ваш па́спорт. Спаси́бо.	*Official:*	Here's your passport. Thank you.
Ми́ша:	Спаси́бо.	*Misha:*	Thanks.

Картинки (Pictures)

The pictures are intended to remind you of the phrases and words that you have learned in Lesson 1. Look at the pictures and repeat the phrases and use the pictures as a memory aid. Do not worry if at this stage you are unable to read the phrases.

1

Ну, вот аэропорт.
Да, это Москва.

2

Я турист.
А я студент.

3

Это ваш портфель. А где мой?

4

Товарищ, ваш паспорт, пожалуйста.

5

Где ваш багаж?
Вот мой чемодан и портфель.

6

А это ваш паспорт?
Да, мой. А вот мой портфель.

Произношéние (Pronunciation)

Repeat:

1. да
   два
   дом
   чемодáн
   идý
   идý до дóма
   идý домóй
   идý тудá

2. э́то
   тут   *here*
   тудá   *there*
   так   *so*
   ты   *you*
   турист
   пáспорт

3. ваш   *yours*
   наш   *ours*
   багáж
   Мúша
   ваш багáж
   Вот ваш багáж.
   Багáж ваш?
   Это ваш багáж, Мúша.

4. тóже
   ужé   *already*
   мóжно   *can*
   жест   *gesture*
   жив   *alive*
   хожý   *I walk*
   два этажá   *2 floors*

you will hear the correct answer, which you should repeat.

Example:

Question: Это Москва?
Answer: Да, это Москва.
Model Answer: Да, это Москва.
Repeat: Да, это Москва.

Now begin:

Это турист? (*pause for answer*)
Да, это турист. (*pause for repetition*)
Это паспорт?   (*pause*)
Да, это паспорт.   (*pause*)
Это аэропорт?   (*pause*)
Да, это аэропорт.   (*pause*)
Это Москва?   (*pause*)
Да, это Москва.   (*pause*)
Это студент?   (*pause*)
Да, это студент.   (*pause*)
Это вы?   (*pause*)
Да, это я.   (*pause*)

Грамматúческие примечáния (Grammar Notes)

A. <u>There is no article in Russian.</u> Это аэропорт means 'this is the (or an) airport' and Я студент means 'I am a student'.

B. <u>The verb 'to be' in Russian is not normally used in the present tense.</u>

C. <u>Questions are often formed in Russian by a change in intonation.</u> Вы турист? means 'Are you a tourist?' Thus the change in meaning has to be carried by the intonation pattern.

Упражнéния (Drills)

DRILL 1: Question and answer
In this drill you will hear a number of questions which you should answer in the affirmative (i.e. by saying *yes* — да). After the pause for your answer

DRILL 2: Question and answer
Similar procedure to Drill 1:

Question: Это ваш паспорт?
Answer: Да, это мой паспорт.
Model Answer: Да, это мой паспорт.
Repeat: Да, это мой паспорт.

Now begin:

Это ваш портфель?   (*pause*)
Да, это мои портфель.   (*pause*)
Это ваш багаж?   (*pause*)
Да, это мой багаж.   (*pause*)
Это ваш паспорт?   (*pause*)
Да, это мой паспорт.   (*pause*)
Это ваш студент?   (*pause*)
Да, это мой студент.   (*pause*)
Это ваш чемодан?   (*pause*)
Да, это мой чемодан.   (*pause*)

DRILL 3: As for Drills 1 and 2

Question: Это мой багаж?
Answer: Да, это ваш багаж.
Model Answer: Да, это ваш багаж.
Repeat: Да, это ваш багаж.

Now begin:

Это мой паспорт?	(*pause*)
Да, это ваш паспорт.	(*pause*)
Это мой чемодан?	(*pause*)
Да, это ваш чемодан.	(*pause*)
Это мой студент?	(*pause*)
Да, это ваш студент.	(*pause*)
Это мой портфель?	(*pause*)
Да, это ваш портфель.	(*pause*)

DRILL 4:

You will see that in this drill the forms you have just been practising are mixed. Thus if you hear Это мой паспорт? you should answer Да, это ваш паспорт, while if the question is Это ваш паспорт? you should answer Да, это мой паспорт.

As before, you will have a chance of repeating the correct response.

Now begin.

Это ваш паспорт?	(*pause*)
Да, это мой паспорт.	(*pause*)
Это мой портфель?	(*pause*)
Да, это ваш портфель.	(*pause*)
Это мой студент?	(*pause*)
Да, это ваш студент.	(*pause*)
Это ваш чемодан?	(*pause*)
Да, это мой чемодан.	(*pause*)
Это мой багаж?	(*pause*)
Да, это ваш багаж.	(*pause*)
Это ваш портфель?	(*pause*)
Да, это мой портфель.	(*pause*)
Это ваш студент?	(*pause*)
Да, это мой студент.	(*pause*)
Это мой паспорт?	(*pause*)
Да, это ваш паспорт.	(*pause*)

You may have noticed when you were listening to the conversations between the tourist and the student that quite frequently they gave single-word answers to the kind of questions you have just been answering with whole sentences. As an additional drill, you might like to repeat the last drill, (4), in this way. Thus, to the question Это ваш паспорт? you should reply Да, мой. You won't, of course, have the correct response provided this time, but it would help you to contrast the two possible answers to the question if you repeat your new, short answer after the long model answer.

DRILL 5: Intonation Drill

(a) *Repetition.* Repeat each phrase exactly as you hear it, noting how the tone changes, depending on whether it is a statement or a question.

S. Это Москва.
Q. Это Москва?

Now begin:

Это аэропорт.	(*pause*)
Это аэропорт?	(*pause*)
Это паспорт.	(*pause*)
Это паспорт?	(*pause*)
Это турист.	(*pause*)
Это турист?	(*pause*)
Это багаж.	(*pause*)
Это багаж?	(*pause*)
Это студент.	(*pause*)
Это студент?	(*pause*)
Это чемодан.	(*pause*)
Это чемодан?	(*pause*)

(b) In the second part of this drill you will hear an affirmative sentence which, by changing the intonation, you should make into a question. You will hear a Russian voice giving the correct intonation for a comparison.
(*Recorded as* 5(a))

DRILL 6:

(a) Now note the change in the intonation when the question of ownership arises.

S. Это ваш портфель.
Q. Это ваш портфель?

Begin by repeating:

Это ваш портфель. (*pause*)
Это ваш портфель? (*pause*)

Это ваш паспорт. (*pause*)
Это ваш паспорт? (*pause*)

Это мой чемодан. (*pause*)
Это мой чемодан? (*pause*)

Это мой багаж. (*pause*)
Это мой багаж? (*pause*)

Это ваш студент. (*pause*)
Это ваш студент? (*pause*)

(b) This time you try making the statements into questions by changing the intonation.
(*Recorded as* 6(a)).

DRILL 7:

In the next sentences you will hear a question asking 'where?' which you should answer using the word Вот. Thus you hear:

Где багаж?
Вот багаж.

Now begin:

Где портфель? (*pause*)
Вот портфель. (*pause*)

Где Москва? (*pause*)
Вот Москва. (*pause*)

Где паспорт? (*pause*)
Вот паспорт. (*pause*)

Где турист? (*pause*)
Вот турист. (*pause*)

Где студент? (*pause*)
Вот студент. (*pause*)

Где аэропорт? (*pause*)
Вот аэропорт. (*pause*)

DRILL 8:

This time you will hear a statement and then a question containing the word мой or ваш. The answer you give should begin: Вот and include, as appropriate, ваш or мой. Thus you hear:

Это ваш паспорт. А где мой?
Вот ваш паспорт.

Other items used:
(*ваш* багаж, *мой* студент, *мой* портфель, *ваш* чемодан, *мой* паспорт)

Пе́сня (Song)

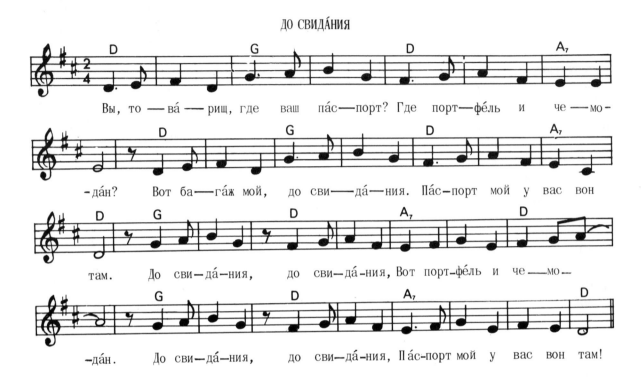

ДО СВИДА́НИЯ

Вы, то — ва́ — рищ, где ваш па́с—порт? Где порт—фе́ль и че—мо—

—да́н? Вот ба — га́ж мой, до сви — да́ — ния. Па́с—порт мой у вас вон

там. До сви—да́—ния, до сви—да́—ния, Вот порт—фе́ль и че—мо—

—да́н. До сви—да́—ния, до сви—да́—ния, Па́с—порт мой у вас вон там!

1. Вы, това́рищ, где ваш па́спорт?
   Где портфе́ль и чемода́н?
   Вот бага́ж мой, до свида́ния.
   Па́спорт мой у вас вон там.
   До свида́ния, до свида́ния,
   Вот портфе́ль и чемода́н.
   До свида́ния, до свида́ния,
   Па́спорт мой у вас вон там!

2. Вот мы здесь в аэропо́рте:
   Я студе́нт, а вы тури́ст.
   Под гита́ру ма́стер спо́рта
   Ве́село танцу́ет твист.
   До свида́ния, до свида́ния,
   Я студе́нт, а вы тури́ст.
   До свида́ния, до свида́ния,
   Ве́село танцу́ем твист!

вон   over there
под гита́ру   to a guitar accompaniment
ма́стер спо́рта   champion athlete
ве́село   merrily
танцу́ет   dances

2. Второй урок

Диалоги

I. A Moscow hotel. At the desk of the Administrator, who is a woman

Администратор:	Здравствуйте!
Борис:	Здравствуйте!
Администратор:	Ваш паспорт,[2] пожалуйста.
Борис:	Вот он.
Администратор:	Спасибо. Так вы Борис Петрович[3] Майский?
Борис:	Да, это я. А где мой номер?
Администратор:	Ваша комната – номер три. Она вот здесь.
Борис:	Номер три? Спасибо.
Администратор:	Где ваш багаж?
Борис:	Он там в коридоре. Портфель и чемодан.
Администратор:	(to porter): Иван Иваныч,[3] багаж в коридоре: портфель и чемодан.
Иван Иванович:	Хорошо.
Борис:	Большое спасибо.

Administrator:	Good morning.[1]
Boris:	Good morning.
Administrator:	Your passport, please.
Boris:	Here it is.
Administrator:	Thank you. So you're Boris Petrovich Maiski?
Boris:	Yes, that's me. Where's my room?
Administrator:	Your room is Number Three. It's just over here.
Boris:	Number Three? Thank you.
Administrator:	Where is your luggage?
Boris:	It's over there in the corridor: A brief-case and a suitcase.
Administrator:	(*to porter*) Ivan Ivanovich, there are the bags in the corridor: a brief-case and a suitcase.
Ivan Ivanovich:	Right.
Boris:	Thank you very much.

II.

Борис: (*to himself*) Где же моя комната? (*walks along corridor*) Где она? Номер один ... два ... вот он! Вот номер три! (*opens door, walks in*) Как хорошо в номере! (*sings*) «До свидания, до свидания, вот портфель и чемодан» ... А мой багаж где? Он не в комнате? Нет, не здесь ... он ещё в коридоре? (*a knock on the door*) А вот Иван Иваныч! Вот и мой багаж.

Boris (*to himself*): Now, where's my room? (*walks along corridor*) Where is it? Number One ... Two ... Here it is! Here's Number Three! (*opens door, walks in*) How nice it is in this room! (*sings*) 'Do svidanya, do svidanya, Vot portfel' i chemodan' ... Now, where are my bags? Not in the room? No, it's not here ... Is it still in the corridor? (*a knock on the door*) Ah, here's Ivan Ivanovich! And with my bags.

III.

Иван Иванович:	Товарищ[4] Майский?
Борис:	Да?
Иван Иванович:	Ваша комната номер три? Вот ваш багаж.
Борис:	Спасибо.

Ivan Ivanovich:	Mr. Maiski?
Boris:	Yes?
Ivan Ivanovich:	Is this your room—Number Three? Here are your bags.
Boris:	Thank you.

Ива́н Ива́нович:	Пожа́луйста, пожа́луйста. Вот ваш чемода́н, ваш портфе́ль и ва́ша су́мка.
Бори́с:	Су́мка?
Ива́н Ива́нович:	Да, вот ва́ша су́мка.
Бори́с:	Нет, э́то не моя́ су́мка.
Ива́н Ива́нович:	Су́мка не ва́ша?
Бори́с:	Нет. Чемода́н мой, и портфе́ль мой, но су́мка не моя́.
Ива́н Ива́нович:	А ... Вот как! Чемода́н и портфе́ль – э́то всё?
Бори́с:	Да, э́то всё. Спаси́бо.

Ivan Ivanovich:	Not at all. Here are your suitcase, brief-case and bag.
Boris:	A bag?
Ivan Ivanovich:	Yes, here's your bag.
Boris:	No, it's not my bag.
Ivan Ivanovich:	The bag isn't yours?
Boris:	No. The case is mine, and the brief-case is mine, but the bag isn't.
Ivan Ivanovich:	So that's the way it is! Just a case and a brief-case—is that all?
Boris:	Yes, that's all. Thank you.

Примеча́ния к диало́гам (Notes on the dialogues)

[1]Здра́вствуйте is a general form of greeting suitable for any time of day.

[2]Guests in Soviet hotels are normally required to hand in their passports at the administration desk. In Russia, as in some other Continental countries, not only foreigners, but nationals as well have to carry a little passport or identity card with their name and address, a description and a photograph. This is not a specifically Soviet feature. In Tsarist times, too, the State found that it could only administer such a vast land, including so many nationalities, if it kept a fairly close check on the movements of its people.

[3]Russians all have three names, the middle one (here Петро́вич) being derived from the father's first name, i.e. the sons of Пётр are all Петро́вич, those of Ива́н are all Ива́нович, normally pronounced Ива́ныч. Daughters of Пётр and Ива́н will have as their *patronymic* (middle name) Петро́вна and Ива́новна respectively.

[4]You will have noticed that това́рищ, usually translated 'comrade' or 'mate', really has a much wider use than either of these two English words. Since the Bolshevik Revolution in 1917 it has become the standard mode of address between Russians, whether a man or a woman is being spoken to. If used deferentially it could even be translated 'sir' or 'madam', and when combined with a surname (as here това́рищ Ма́йский), it virtually means 'Mr' or 'Mrs'. Russians very rarely use това́рищ in addressing foreigners, whom they would normally address as господи́н, госпожа́, ми́стер, сеньо́р, and so on.

Картинки (Pictures)

Ваш па́спорт, пожа́луйста.
Вот он.

Где мой но́мер?
Вот ва́ша ко́мната. Но́мер три.

Вот мой бага́ж в коридо́ре.

Как хорошо́ в но́мере!

Това́рищ Ма́йский? Это ва́ша ко́мната?

Вот ва́ша су́мка.
Нет, су́мка не моя́.

Произноше́ние

Repeat:

1. (Stressed ó)
   он
   вот
   то́же
   мой
   хорошо́
   ко́мната
   но́мер
   Вот он.
   Вот мой но́мер.

2. (Pretonic [1] and initial o)
   она́
   оди́н
   Москва́
   большо́й
   портфе́ль
   хорошо́
   това́рищ
   чемода́н
   Како́й большо́й чемода́н!
   Москва́ больша́я
   Ваш портфе́ль, пожа́луйста, това́рищ.

3. (Mixed)
   он : она́
   вот : оди́н
   мой : моя́
   то́же : большо́й
   Вот она́.
   Вот оди́н большо́й чемода́н.
   Вот мой портфе́ль.
   Како́й большо́й но́мер!
   Хорошо́ в Москве́.

4. (Hard р)

хорошо́	но́мер
аэропо́рт	портфе́ль
па́спорт	здра́вствуйте

5. (Soft р)

Бори́с	в коридо́ре
тури́ст	в но́мере
три	Бори́с в но́мере.
коридо́р	Тури́ст в коридо́ре.

[1] See Note 3(i), p.11.

Граммати́ческие примеча́ния

A. The word в is Russian for 'in'. Thus в коридо́ре means 'in the corridor'. Note that the ending '-е' on the noun in this example is the most common ending for the *locative case* (ср. also в но́мере, в ко́мнате). When в occurs as a word, it attaches itself, in pronunciation, to the following word, and sounds like a 'v' in front of a voiced consonant, but like an 'f' in front of an unvoiced consonant (see note after Pronunciation Guide, p.10). Compare the sounds 'vn' in в но́мере and 'fk' in в ко́мнате.

B. In English, grammatical gender (masculine, feminine, neuter or common) usually corresponds to sex. In Russian the situation is different, for although male persons and animals are usually[1] masculine, and female persons and animals usually[1] feminine, the world of inanimate objects is divided between three genders (masculine, feminine, neuter), which are distinguishable largely from the spelling of the word: Thus:

   (1) Words ending in a consonant or -й are masculine e.g. па́спорт, чемода́н, чай.

   (2) Words ending in -а/-я are mostly feminine e.g. Москва, су́мка, Англия, ста́нция, with the obvious exception that names such as Ва́ня and Ми́ша (referring to men and boys) are masculine, even though the endings look like feminine.)

   (3) Words ending in -о/-е/-ё are neuter (except ко́фе which is masculine). e.g. метро́, ра́дио, свида́ние.

   (4) Some words ending in -ь are masculine (e.g. портфе́ль) others are feminine (e.g. пло́щадь) and should be learnt as they occur.

C. *Он* means either 'he' or 'it', and *она́* means 'she' or 'it'. Он refers to masculine nouns and can replace them, e.g. Бага́ж в коридо́ре (The luggage is in the corridor). *Он* в коридо́ре (*It is in the corridor*). Where feminine nouns (су́мка, Москва́) occur the equivalent pronoun is она́. e.g. Су́мка в коридо́ре. *Она́* в коридо́ре.

D. *Мой* and *ваш* change to *моя́* and *ва́ша* before a feminine noun, (i.e. they 'agree' with the noun). Thus masculine: мой бага́ж, and feminine: моя́ су́мка.

E. In Russian не means 'not', and нет means 'no'. e.g. Я не тури́ст – 'I am not a tourist'.

   Нет, тури́ста нет –'No, there is no tourist'.

F. Пожа́луйста is used in two different ways in this lesson. It may be used to express the English 'please', e.g. Ваш па́спорт, пожа́луйста. In this case it usually occurs as the second item in the sentence (Ваш па́спорт being the first). Пожа́луйста is also used as a response to спаси́бо, and in this case it means 'not at all' or 'it's a pleasure'. It is worth developing the habit of automatically responding пожа́луйста whenever somebody has thanked you for something.

---

[1]'Usually' not 'always'. For example a cover noun such as това́рищ (masc.) can refer to either sex. Likewise with some animals: соба́ка (fem.) can refer to any dog without indicating sex, since there are other words to supply this distinction: пёс (male dog), су́ка (bitch). (See Note IV, p.127).

Упражнéния

The traditional 4-phase drill pattern (Question – Answer – Model Answer – Repeated Answer, or other forms of Stimulus – Response – Model Response – Repeated Response) has already been encountered in Lesson 1, and continues to be used extensively throughout the course.

Full instructions are recorded on the accompanying tapes and all repetitions indicated; but after the First Drill of this lesson these repetitions are *not* given in the book.

Except where you are simply instructed to 'repeat', (e.g. for Intonation practice), you may assume that the Examples given at the beginning of each drill will be used *again* at the start of the drill proper. After the First Drill of this lesson only the continuation items of the drills will be shown (in brackets) under the examples, although the full repetitions will be heard on the tapes, as before.

Where a heading in English has been supplied, this is to give you in advance a general idea of the thought running through the drill or of the conversational context in which it might be used.

DRILL 1: *Here it is* (All items are masculine).
Question: Где паспорт?
Answer: Вот он.
Model Answer: Вот он.
Repeat: Вот он.

Question: Где турист?
Answer: Вот он.
Model Answer: Вот он.
Repeat: Вот он.

Drill begins (паспорт, турист, ...)
and continues (... багаж, студент, чемодан, аэропорт)

DRILL 2: (All feminine).
Где сумка?
Вот она.

Где комната?
Вот она.

(Москва, она, ваша комната, моя сумка)

DRILL 3: (Items mixed)
(ваш багаж, Москва, ваша комната, аэропорт, мой портфель, моя сумка)

DRILL 4: *No, it's not mine.*
Это ваш паспорт?
Нет, не мой.

Это ваша комната?
Нет, не моя.

(ваш портфель, ваш товарищ, ваша сумка, ваш студент)

DRILL 5: *No, not yours.*
Это мой студент?
Нет, не ваш.

Это моя сумка?
Нет, не ваша.

(мой багаж, мой чемодан, мой паспорт, моя комната, мой товарищ)

DRILL 6: Put the object or person in the right place.
Вот коридор. Где багаж?
Багаж в коридоре.

Вот комната. Где портфель?
Портфель в комнате.

(портфель/паспорт; Москва/аэропорт; комната/вы; коридор/Иван Иванович)

DRILL 7: Intonation drill. *It's over there.*
(a) Listen to the question and answer intonation, and then repeat each one:
Где багаж?
Багаж там.

(паспорт, студент, аэропорт, сумка, номер три)

(b) The same questions will be given again. Now you supply the answers *without* waiting to hear them first.

DRILL 8: Question and answer intonation.

(a) Repeat:

Багаж в комнате?

Да, багаж в комнате.

(турист в Москве; она в аэропорте; паспорт в чемодане; аэропорт в Москве)

(b) Now the answers are given. You give the question that provoked each answer.

Да, багаж в комнате.

Багаж в комнате?

(Items as for Drill 8a)

DRILL 9. Question and negative answer intonation.

Repeat:

Моя комната в коридоре?

Нет, она не в коридоре.

Мой багаж в аэропорте?

Нет, он не в аэропорте.

Турист в Москве?

Нет, он не в Москве.

Иван Иванович в комнате?

Нет, он не в комнате.

Сумка в чемодане?

Нет, она не в чемодане.

DRILL 10: Now you provide the answers.

(Items as for Drill 9)

DRILL 11: *One of the things is mine, but not the other.*

Это ваш багаж и ваш паспорт?

Нет, багаж мой, а паспорт не мой.

Это ваш паспорт и ваша сумка?

Нет, паспорт мой, а сумка не моя.

(сумка и портфель; портфель и чемодан; чемодан и комата)

Песня

ДО СВИДАНИЯ

3. Вы турист, Борис Петрович?
   Дайте паспорт – это всё.
   Раз, два, три ... А, вот мой номер,
   Всё в Москве так хорошо!
   До свидания, до свидания,
   Дайте паспорт – это всё.
   До свидания, до свидания,
   Всё в Москве так хорошо!

4. Вот багаж, спасибо, Ваня,
   Номер три. А, вот и я!
   Вот на чай вам, до свидания,
   Только сумка не моя!
   До свидания, до свидания,
   Номер три. А, вот и я!
   До свидания, до свидания,
   Только сумка не моя!

3. Трétий урóк

Диалóги

I. *At the Hotel Administrator's desk*

Мúша:	Здрáвствуйте! Вы администрáтор?	Misha:	Are you the Administrator?
Администрáтор:	Да, я администрáтор. Здрáвствуйте!	Administrator:	Yes, I am. Good morning.
Мúша:	Товáрищ Мáйскии у вас в гостúнице?	Misha:	Is Mr. Maiski in your hotel?
Администрáтор:	Кто? Мáйский? Сейчáс ... (*checks through papers*)	Administrator:	Who? Maiski? Just a moment ... (*checks through papers*)
Мúша:	Да, Борúс Петрóвич Мáйский. Где он?	Misha:	Yes, Boris Petrovich Maiski. Where is he?
Администрáтор:	Он здесь, в кóмнате нóмер три.	Administrator:	He is here in room Three.
Мúша:	Это ваш телефóн? Мóжно?	Misha:	Is this your phone? May I use it?
Администрáтор:	Мóжно, пожáлуйста.	Administrator:	Yes, please do.
Мúша:	Спасúбо. (*dials number, mutters:*) Нóмер три ... (*Ringing in telephone becomes phone ringing in Boris Petrovich's room*).	Misha:	Thank you. (*dials number, mutters:*) Number Three ...

II.

Борúс:	А, телефóн! Аллó! Слýшаю вас.	Boris:	(*Phone rings*) Ah, the phone! Hallo! I'm listening.
Мúша:	(*voice on the phone*) Аллó, Борúс Петрóвич? [1]	Misha's voice on phone:	Hallo, Boris Petrovich?
Борúс:	Да, э́то я, Мáйский. Это кто?	Boris:	Yes, it's me, Maiski. Who's that?
Мúша:	Это я, Мúша[2] Кузнецóв. Хорошó, что вы ещё в нóмере.	Misha:	It's me, Misha Kuznetsov. It's a good thing you're still in your room.
Борúс:	Да, я ещё здесь. Я слýшаю рáдио. А где вы сейчáс?	Boris:	Yes, I'm still here. I'm listening to the radio. And where are you at the moment?
Мúша:	Я в гостúнице.	Misha:	I'm in the hotel.
Борúс:	Так вы ужé здесь? В гостúнице? Вот как хорошó!	Boris:	So you're here already? In the hotel? That's great!
Мúша:	Мóжно к вам?	Misha:	May I come to your room?
Борúс:	Да, мóжно, пожáлуйста.	Boris:	Yes, please do!
Мúша:	Хорошó. Я сейчáс.	Misha:	Good. I'm just coming.

[1] Note that use of the first name and patronymic is a formal and polite mode of address.

[2] Мúша is the familiar, diminutive variant of Михаúл. Similarly Борúс→Бóря, Ивáн→Вáня, Валентúна→Вáля.

III. *Misha puts down Administrator's phone and asks:*

Ми́ша:	Где но́мер три?	Misha:	Where's Number Three?
Администра́тор:	Вот там.	Administrator:	Just there.
Ми́ша:	Спаси́бо. (*walks down corridor, muttering:*) Но́мер оди́н . . . два . . . а, вот но́мер три! (*knocks*)	Misha:	Thank you. (*walks down corridor, muttering:*) Number One... Two... Ah, here's Number Three! (*knocks*)
Бори́с:	А, э́то вы, Ми́ша!	Boris:	Oh, it's you Misha!
Ми́ша:	Как хорошо́ у вас в но́мере!	Misha:	What a nice room!
Бори́с:	Да, в гости́нице хорошо́. У меня́ телефо́н и ра́дио. Всё есть! Я слу́шаю ра́дио. (*telephone rings*) Алло́, э́то я, Ма́йский.	Boris:	Yes, it's nice in this hotel. I've got a telephone and a radio. There's everything! I'm listening to the radio. (*telephone rings*) Hallo, Maiski here.
Администра́тор:	(*in phone*) У вас сейча́с студе́нт Кузнецо́в?	Administrator:	(*in phone*): Have you got a student, Kuznetsov, there?
Бори́с:	Да, он у меня́ в но́мере. Вот он.	Boris:	Yes, he's right here in my room. Here he is.
Администра́тор:	Това́рищ Кузнецо́в?	Administrator:	Mr. Kuznetsov?
Ми́ша:	Да, я слу́шаю.	Misha:	Yes, I'm listening.
Администра́тор:	Здесь ва́ша су́мка.	Administrator:	Your bag is here.
Ми́ша:	Моя́ су́мка? Нет, у меня́ не су́мка, а портфе́ль.	Misha:	My bag? No, I haven't got a bag, only a brief-case.
Администра́тор:	Так. Су́мка не ва́ша? Хорошо́. До свида́ния.	Administrator:	So the bag isn't yours? Alright. Good-bye.
Ми́ша:	До свида́ния.	Misha:	Good-bye.

Выраже́ния (Useful phrases)

сейча́с	just a moment (I'll be back immediately); at the moment	мо́жно к вам?	May I come and see you?
я слу́шаю	I'm listening	всё есть!	there's everything!

Вопро́сы к те́ксту (Questions on dialogues)

Answer orally or in writing.

1. Кто Бори́с Петро́вич Ма́йский?
2. Где Ма́йский в гости́нице?
3. Где Ми́ша?
4. Что слу́шает Бори́с?
5. У Бори́са су́мка?
6. У вас телефо́н?

Произноше́ние

Repeat:

1. (Stressed é)
где
здесь
студе́нт
портфе́ль
уже́
е́сть
Где портфе́ль?

2. (Neutral о)
э́то
спаси́бо
па́спорт
мо́жно
хорошо́
Спаси́бо, э́то хорошо́.

3. (Soft т)
телефо́н
пять
есть
в ко́мнате
гости́ница
в аэропо́рте
здра́вствуйте

4. (Soft and hard т)
вот : пять
три : телефо́на
там в ко́мнате
Кто у телефо́на?
Здра́вствуйте, това́рищ.

5. (Soft д)
где в «Пра́вде»
здесь студе́нт
ра́дио Где студе́нт?
один Ра́дио здесь.
дядя Оди́н студе́нт
здесь.

6. (Hard and soft д)
Где чемода́н?
Ра́дио в коридо́ре.
Дай ра́дио.
А студе́нт куда́?
До свида́ния, дя́дя.

Граммати́ческие примеча́ния (Grammar Notes)

A. In this lesson you have met the word *кто* (who). Compare with it the word *что* (what), which you will meet in the dialogues for Lesson 4. Thus a question relating to тури́ст will say Кто?, while one relating to па́спорт will begin Что?

B. The normal expression for *I have* is *У меня́*, *you have — у вас*. These are formed by adding the preposition у (near, by) to the genitive case [1] of the personal pronoun. Thus у меня́ портфе́ль (I have a brief-case), у вас па́спорт (you have a passport), etc. *Literally* these expressions would have to be translated 'By me (there is) a brief-case' and 'By you (there is) a passport'.

У вас па́спорт? Да, у меня́ паспорт.
У вас телефо́н? Да, у меня́ телефо́н.
У вас су́мка? Да, у меня́ су́мка.

Note that the object possessed is grammatically the subject of the sentence and is in the nominative case, [1] i.e. it does not change its form.

У меня́ чемода́н. Так у вас чемода́н!
У меня́ ра́дио. Так у вас ра́дио!
У меня́ тури́ст. Так у вас тури́ст!

Note that the translation of the last item should be: 'A tourist is at my house', since 'I have a tourist' would be nonsense. Thus Това́рищ Ма́йский у вас в гости́нице? in the dialogue means 'Is

[1] See Grammar Reference, p.126.

Mr. Maiski in your hotel?', and У вас сейчáс Кузнецóв? means 'Is Kuznetsóv with you at the moment?' You may add the name of the place — в кóмнате — as well.

C. *Мóжно* is used with two different meanings in this lesson. Thus first we had Ваш телефóн, мóжно? ('May I use your phone?') and the response Мóжно, пожáлуйста. Now we have Мóжно к вам? (May I come to your room?', literally, 'May I come to you?') which elicits the same response Мóжно, пожáлуйста. Russian as used in conversation is a very economical language and frequently the verb may be left out of a sentence without affecting the meaning. Thus the administrator immediately understands that Misha means '*use*' when he says Ваш телефóн, мóжно? and similarly Boris Petrovich understands '*come*' when he asks Мóжно к вам? Look out for this typical economy of expression in later conversations.

D. *Сейчáс* also occurs in two different senses. It can mean 'just now', 'immediately', and can refer to the past, the present or the future. Thus in the first conversation the administrator said as she checked through the papers on her desk Сейчáс 'Just a moment' while Boris Petrovich asks Misha over the phone: Где вы сейчáс 'Where are you just now?') Then, once more, as Misha puts down the phone, he says, Я сейчáс ('I'm just coming'). Equally where past action is involved, for example 'what have you just been doing?', the same word сейчáс would be used.

E. Note the contrasting adverbs *ещё* (still) and *ужé* (already). Thus Вы ужé здесь? (Are you here already?) contrasts with Я ещё здесь (I am still here). A positive answer to the question Багáж ещё в коридóре? would repeat the word *ещё* – Да, багáж ещё в коридóре. A negative answer might use the contrasting *ужé* – Нет, он ужé в нóмере.

Compare also: Он ужé здесь. He is already here

                  Онá ещё там. She is still there.

Упражнéния

DRILL 1: *Yes, it's him.*
Это Мáйский?
Да, Мáйский. Это кто?

Это турист?
Да, турист. Это кто?

(Миша, администрáтор, Борис Петрóвич, Ивáн Ивáнович, студéнт)

DRILL 2: *Yes, I have.*
Что у вас, портфéль?
Да, у меня портфéль.

Что у вас, сýмка?
Да, у меня сýмка.

(чемодáн, пáспорт, багáж)

DRILL 3: *Yes, he's here in my room.*
Турист у вас в кóмнате?
Да, он у меня в кóмнате.

Миша у вас в кóмнате?
Да, он у меня в кóмнате.

(Борис Петрóвич, студéнт, Ивáн Ивáнович, Мáйский)

DRILL 4: *Who? What? Did I hear you correctly?*
У меня Мáйский.
Кто? Мáйский?

У меня рáдио.
Что? Рáдио?

(портфéль, студéнт, пáспорт, товáрищ, Кузнецóв, сýмка)

DRILL 5: *Yes, in my room.*

Багаж у вас?

Да, он у меня в комнате.

Сумка у вас?

Да, она у меня в комнате.

(студент, администратор, Иван Иванович, Борис Петрович)

DRILL 6: Answering the telephone.

In this drill pay particular attention to intonation.

Алло, это Миша?

Да, Миша. Я слушаю.

Алло, это студент?

Да, студент. Я слушаю.

(турист, Борис Петрович, администратор, Майский)

DRILL 7: Put the person or object in the right place

Вот гостиница. Где турист?

Он в гостинице.

Вот комната. Где студент?

Он в комнате.

(портфель/паспорт; гостиница/коридор; коридор/багаж; комната/телефон)

DRILL 8: Put the person or object in the right place

Вот портфель. Где паспорт?

Он в портфеле.

Вот комната. Где сумка?

Она в комнате.

(Москва/аэропорт, гостиница/турист, гостиница/комната, коридор/телефон)

DRILL 9: *Yes, it's still there* or *He's still there.*

Багаж ещё в коридоре?

Да, он ещё в коридоре.

Иван Иванович ещё в коридоре?

Да, он ещё в коридоре.

(портфель, Борис Петрович, турист, чемодан, Миша, сумка)

✗DRILL 10: *No, it's in my room now* or *He's in my room now.*

Багаж ещё в коридоре? Нет, он уже у меня в номере.

Сумка ещё в коридоре? Нет, она уже у меня в номере.

(чемодан, Миша, Майский, портфель)

✗DRILL 11: *No, still in the corridor.*

Багаж уже у вас? Нет, он ещё в коридоре.

Студент уже у вас? Нет, он ещё в коридоре.

(Иван Иванович, сумка, чемодан, Миша, портфель)

DRILL 12: *Of course you may.*

(a) Question and answer intonation.

Repeat:

Это я, Миша. Можно к вам?

Да, можно.

(студент, Борис Петрович, администратор, Майский, Кузнецов, Иван Иванович)

(b) Now you answer the question without waiting for the correct response.

(Replay items for Drill 12a)

Можно?

Пе́сня

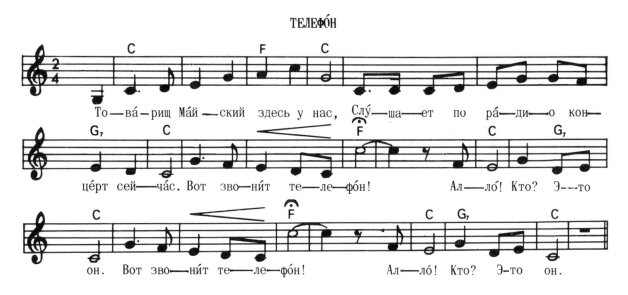

TELEФО́Н

То — ва́ — рищ Ма́й — ский здесь у нас, Слу́ — ша — ет по ра́ — ди — о кон —

це́рт сей — ча́с. Вот зво — ни́т те — ле — фо́н! Ал — ло́! Кто? Э — — то

он. Вот зво — ни́т те — ле — фо́н! Ал — ло́! Кто? Э — то он.

1. Това́рищ Ма́йский здесь у нас,
   Слу́шает по ра́дио конце́рт сейча́с.

   Вот звони́т телефо́н!
   Алло́! Кто? Это он.

2. Ваш но́мер в коридо́ре там.
   Я сейча́с в гости́нице: мо́жно к вам?

   Вот звони́т телефо́н!
   Алло́! Кто? Это он.

4. Четвёртый уро́к

Диало́ги

I. *Leaving the hotel. Boris Petrovich has a copy of* Pravda *under his arm*

Ми́ша:	Бори́с Петро́вич, пойдёмте!	*Misha:*	Let's go, Boris Petrovich!
Бори́с:	Хорошо́, пойдёмте.	*Boris:*	Right, let's go.
Ми́ша:	Ну, вот Москва́!	*Misha:*	Well, there's Moscow!
Бори́с:	Как здесь хорошо́! Ми́ша, вы хорошо́ зна́ете Москву́?	*Boris:*	How nice it is here! Do you know Moscow well, Misha?
Ми́ша:	Да, хорошо́ зна́ю. А где мой журна́л?	*Misha:*	Yes, I do. Where's my magazine?
Бори́с:	Ваш журна́л? Како́й?	*Boris:*	Your magazine? Which one?
Ми́ша:	Журна́л «Англия».[1] Ах, он у вас в ко́мнате!	*Misha:*	The magazine *England*. Oh, its in your room!
Бори́с:	В гости́нице! Да ничего́. У меня́ «Пра́вда».[2]	*Boris:*	In the hotel! Well, never mind. I've got a *Pravda*.
Ми́ша:	Вы чита́ете «Пра́вду»?	*Misha:*	You read *Pravda*, do you?
Бори́с:	Да, я всегда́ чита́ю «Пра́вду». А вы что чита́ете?	*Boris:*	Yes, I always read *Pravda*. What do you read?
Ми́ша:	Я то́же чита́ю «Пра́вду», и журна́л «Англия».	*Misha:*	I read *Pravda* as well, and the magazine *England*.
Бори́с:	Это интере́сный журна́л?	*Boris:*	Is it an interesting magazine?
Ми́ша:	Да, интере́сный. А э́то кто здесь в «Правде»?	*Misha:*	Yes, it is. But who's this here in *Pravda*?
Бори́с:	Вы не зна́ете? Это Дави́д Ойстрах. Сего́дня конце́рт.	*Boris:*	Don't you know? It's David Oistrakh. There's a concert today.
Ми́ша:	Ойстрах? Како́й хоро́ший арти́ст! Так пойдмёте на конце́рт!	*Misha:*	Oistrakh? What a fine artist! Let's go to the concert then!
Бори́с:	Хорошо́, пойдёмте.	*Boris:*	Right, let's go!

II. *In the street*

Ни́на:	Здра́вствуйте, Ми́ша!	*Nina:*	Hallo, Misha!
Ми́ша:	А, Ни́на, здра́вствуйте! Бори́с Петро́вич, э́то Ни́на Гага́рина. Ни́на, э́то Бори́с Петро́вич Ма́йский.	*Misha:*	Ah, Nina, hallo! Boris Petrovich, this is Nina Gagarina. Nina, this is Boris Petrovich Maiski.
Бори́с:	Здра́вствуйте, Ни́на!	*Boris:*	Hallo, Nina.
Ни́на:	Здра́вствуйте, Бори́с Петро́вич! Вы то́же студе́нт?	*Nina:*	Hallo, Boris Petrovich. Are you a student, too?
Бори́с:	Нет, я тури́ст.	*Boris:*	No, I'm a tourist.

[1] The monthly magazine *Англия* is published in this country for sale in the Soviet Union. It is a lively magazine with good photographs and interesting articles on the current English scene. Like similar periodicals published abroad it is immensely popular, particularly among young people, and is snapped up at the newspaper stalls almost as soon as it appears. This also applies to *Аме́рика*, which is published in the U.S. for Soviet consumption.

Нина:	А я студéнтка. Мúша, кудá вы сейчáс?
Мúша:	Мы сейчáс идём на концéрт.
Нина:	Как хорошó! А какóй концéрт?
Мúша:	Игрáет Давúд Ойстрах. Вот он в «Прáвде».
Нина:	А, у вас «Прáвда»! У меня журнáл «Англия». Хорóший журнáл.
Мúша:	Так у вас «Англия»? Как хорошó! Мой журнал в гостúнице. Мóжно ваш, Нúна?
Нина:	Да, пожáлуйста!
Мúша:	Вот журнáл «Англия», Борúс Петрóвич. Прáвда,[1] хорóший?
Борúс:	Да, ничегó, интерéсный.
Мúша:	Товáрищи, пойдёмте! Концéрт в три.
Нина:	А это сейчáс! Можно я тóже на концéрт?
Мúша и Борúс (together)	Да, пожáлуйста!

Nina: I'm a student. Misha, where are you going at the moment?
Misha: We're just going to a concert.
Nina: Oh, good! Which concert?
Misha: David Oistrakh is playing. Here he is in *Pravda*.
Nina: Ah, you've got a *Pravda*! I've got a copy of *England*. It's a good magazine.
Misha: So you've got a copy of *England*? That's good! My copy's in the hotel. Can I have a look at yours, Nina?
Nina: Yes, please do!
Misha: Here's the magazine *England*, Boris Petrovich. It's good, isn't it?
Boris: Yes, not bad. Quite interesting.
Mish: Let's go, folks! The concert's at three.
Nina: But that's now! May I come to the concert too?
Misha and Boris (together) Yes, please do!

Выражéния (Useful phrases)

пойдёмте!	let's go!
ничегó	not bad, never mind
всегдá	always
сегóдня	today (note unusual pronunciation: г pronounced as в)

Вопрóсы к тéксту (Questions on dialogues)

1. Кто хорошó знáет Москвý?
2. Какóй журнáл читáет Мúша?
3. Мúша знáет Нúну?
4. Кто в «Прáвде»?
5. «Англия» хорóший журнáл?

Какой хороший артист!

[1] *Прáвда.* In addition to being the name of one of the major national daily newspapers in the Soviet Union (the other one is *Извéстия*), the word прáвда (truth) can also be used on its own with the sense 'it is true', or if the sentence is a question, 'isn't that true?' or 'don't you think so?'

Произноше́ние

Repeat:

I. (Unstressed e)

зна́ете	сего́дня	сейча́с
чита́ете	пойдёмте	Зна́ете что в «Пра́вде» сего́дня?
интере́сный	здра́вствуйте	Пойдёмте сейча́с.
в «Пра́вде»	телефо́н	

2. (к and х)

как	хорошо́	Ка́кая хоро́шая ко́мната!
како́й	Ойстрах	Кто в ку́хне?
су́мка	хоро́ший	Ойстрах игра́ет на конце́рте.
ко́мната	ку́хня	
конце́рт	хулига́н	

Граммати́ческие примеча́ния

A. The imperative пойдёмте – 'Let's go' is used between people who address one another formally, that is, by using name and patronymic and вы, or by someone addressing a group. People on more familiar terms would, however, simply use пойдём.

B. *Accusative case*. The direct object in a sentence is normally in the accusative case. The accusative of most masculine nouns (unless animate) is the same as the nominative. In feminine nouns the normal -а ending of the nominative is replaced by -у in the accusative.

	Nom.	*Acc.*
Thus *masculine:*	конце́рт	конце́рт
	бага́ж	бага́ж
feminine:	Пра́вда	Пра́вду
	су́мка	су́мку

(In *animate* masculine nouns the accusative is like the genitive. You will meet the genitive case in Lesson 6. A fuller explanation of the animate accusative occurs in Lesson 13, Note B)

C. Motion towards is expressed by the prepositions в or на followed by the accusative case. This answers the question куда́? ('where' or 'to where', when motion is involved). Contrast где? ('where' which always indicates position).

Где вы сейча́с? Мы сейча́с на конце́рте.

Куда вы сейча́с? Мы сейча́с идём на конце́рт.

D. The basic forms of the verb used in this lesson are the first person singular (subject я) and the second person plural (subject вы), e.g. Вы зна́ете Москву́? Да, зна́ю. Вы чита́ете «Пра́вду»? Да, я всегда́ чита́ю «Пра́вду».

Вы слу́шаете?	Да, я слу́шаю.
Вы зна́ете?	Да, я зна́ю.
Вы чита́ете?	Да, я чита́ю.

Thus the ending for the first person singular (I, я) is, in this type of verb -ю. The ending for the second person plural (you, вы) is -ете. The other part of the verb, e.g. слу́ша-, зна-, чита́- is called the *stem*.

E. Note that <u>the adjective normally precedes and agrees with the noun</u>, e.g. Како́й хоро́ший арти́ст! У меня́ интере́сный журна́л.

F. Notice that <u>some nouns require</u> the <u>preposition *на*</u> in the sense of 'to', or 'at', in e.g. Я иду́ *на* конце́рт. Similarly, in answer to где?: Где вы? – Мы *на* конце́рте. <u>Other nouns, however, require</u> the <u>preposition в</u>, e.g. *в* теа́тре, (at the theatre), *в* гости́нице. Memorize which nouns require *на* as you learn them.

Упражне́ния

DRILL 1:

У вас какой портфель?
У меня хороший портфель.

У вас какой багаж?
У меня хороший багаж.

(чемодан, студент, журнал)

DRILL 2: *Yes, it's OK. Fine.*

У вас хороший студент?
Ничего, хороший.

У вас хороший журнал?
Ничего, хороший.

(портфель, багаж, чемодан)

DRILL 3: *Notice the intonation for an exclamation.*

Вот мой журнал.
Какой хороший журнал!

Вот мой чемодан.
Какой хороший чемодан!

(портфель, студент, товарищ)

DRILL 4: *How nice it is!*

Вот мой товарищ.
Какой он хороший!

Вот мой студент.
Какой он хороший!

(портфель, журнал)

DRILL 5: *Yes, it's in the hotel.*

Багаж у вас в гостинице?
Да, он у меня в гостинице.

Сумка у вас в гостинице?
Да, она у меня в гостинице.

(«Правда», паспорт, Борис Петрович, Нина, студент, журнал «Англия»)

DRILL 6: *I know the place well.*

Вот Москва.
Я хорошо знаю Москву.

Вот аэропорт.
Я хорошо знаю аэропорт.

(Лондон, Англия, Киев, Ленинград)

DRILL 7:

Вы читаете журнал?
Да, я читаю журнал.

Вы слушаете радио?
Да, я слушаю радио.

(читаете «Правду», читаете «Англию», слушаете концерт, читаете «Правду», слушаете радио)

DRILL 8: Surprise intonation: *Oh! So you are, are you?*

Я читаю «Правду».
Так вы читаете «Правду»?

Я слушаю концерт.
Так вы слушаете концерт?

(читаю «Англию», слушаю радио, читаю журнал, слушаю музыку)

DRILL 9: *We're going there.*

Вот гостиница. Куда вы?
Мы идём в гостиницу.

Вот аэропорт. Куда вы?
Мы идём в аэропорт.

(номер три, коридор, комната)

DRILL 10:

Мы идём в комнату.
А вы знаете, где комната?

Мы идём на концерт.
А вы знаете, где концерт?

(в номер три, в гостиницу, в аэропорт)

DRILL 11: Answering the questions *Who?* or *What?*

(a) *Repeat:*

Что это?	Это паспорт.
Кто это?	Это турист.
Кто это?	Это Нина.
Что это?	Это портфель.
Что это?	Это мой номер.
Кто это?	Это Борис Петрович.

(b) Now you try forming questions, with correct intonation.

Это Майский.
Кто это?

Это портфель.
Что это?

(Миша, паспорт, студент, багаж, телефон, Борис Петрович, радио)

Песня

3. Мóжно взять у вас журнáл?
   Эту «Прáвду» я прочитáл.
      Вот звони́т телефóи!
      Алло́! Кто? – Это он.

4. Какóй наш Ми́ша хорóший арти́ст:
   Как мáстер спóрта танцýет твист.
      Вот звони́т телефон!
      Алло́! Кто? – Это он.

взять	take, borrow
я прочитáл	I have read
танцýет твист	is dancing the twist

5. Пя́тый уро́к

Диало́ги

I. *In the concert hall. The concert ends.*

Бори́с: Пра́вда, хоро́ший конце́рт, Ми́ша?

Ми́ша: Да, и како́й хоро́ший арти́ст! Как вы ду́маете, Ни́на?

Ни́на: Я ду́маю, что Дави́д Ойстрах игра́ет о́чень хорошо́.

Ми́ша: Куда́ мы идём сейча́с?

Ни́на: Я иду́ в университе́т.

Ми́ша: Вы рабо́таете сего́дня?

Ни́на: Да, рабо́таю. Я чита́ю в библиоте́ке.

Ми́ша: Да, чита́ть в университе́те хорошо́. Но я не всегда́ там чита́ю. Я ча́сто чита́ю до́ма.

Ни́на: Бори́с Петро́вич, куда́ вы идёте сейча́с?

Бори́с: Я иду́ в рестора́н. Вы не зна́ете, где хоро́ший рестора́н?

Ми́ша: Зна́ю. У вас в гости́нице.

Бори́с: Это далеко́!

Ни́на: Я зна́ю хоро́ший рестора́н. Это здесь. Недалеко́.

Ми́ша: Это где, Ни́на?

Ни́на: В гости́нице «Пеки́н». Там и рестора́н и кафе́.[1] Куда́ же мы пойдём?

Ми́ша: Пойдёмте в кафе́ – там хорошо́.

Boris: What a good concert, wasn't it, Misha?

Misha: Yes, and what a fine artist. Don't you think so, Nina?

Nina: I think David Oistrakh plays very well.

Misha: Where shall we go now?

Nina: I'm going to the university.

Misha: Are you working today?

Nina: Yes, I am. I've some reading to do in the library.

Misha: Yes, it's alright reading in the library, though I don't always read there. I often read at home.

Nina: Boris Petrovich, where are you going now?

Boris: I'm going to a restaurant. Do you know where there's a good one?

Misha: Yes, I do. In your hotel.

Boris: That's a long way away.

Nina: I know a good restaurant. It's not far from here.

Misha: Where's that, Nina?

Nina: In the hotel 'Peking'. There's a restaurant there and a café too. Which shall we go to?

Misha: Let's go to the café — it's nice there.

II. *In the cafe. Boris, Nina and Misha are seated at a table and are already drinking.*

Ни́на: Здесь хорошо́, пра́вда, Бори́с Петро́вич?

Бори́с: Да, о́чень хорошо́. Лимона́д хоро́ший?

Nina: It's nice here, isn't it, Boris Petrovich?

Boris: Yes. Very nice. Is the lemonade good?

---

[1]Places for eating-out in Russian cities include:

рестора́н — for a full-scale meal with waitress-service (slow and expensive)

кафе́ — drinks and light snacks with waitress service

буфе́т — usually self-service buffet, often within places of work or entertainment. Tourists in the U.S.S.R. will often find it most convenient to have their breakfast at the буфе́т in their hotel for quicker service.

столо́вая — for self-service, cheap and substantial cooked meals. Many столо́вые specialise in a particular type of food, e.g. шашлы́чная (for shashlik) and соси́сочная (for sausages).

Нина:	Да, хороший. А ваш чай?
Борис:	Тоже хороший. А вы сейчас идёте в университет?
Нина:	Да, я иду в университет в библиотеку.
Борис:	Что вы там читаете?
Нина:	Я читаю журнал о музыке.
Борис:	А, о музыке? Очень интересно.
Нина:	Да, я читаю о Моцарте.
Борис:	А вы, Миша, тоже читаете о музыке?
Миша:	(laughs) Нет, я не читаю, я играю на гитаре.
Борис:	Так вы играете на гитаре? Как интересно! Где ваша гитара?
Миша:	Гитара у меня дома.
Нина:	Так пойдёмте к вам, Миша, послушать вашу гитару. Можно?
Миша:	Хорошо, пойдёмте. А вы знаете, Борис Петрович, что Нина тоже играет на гитаре? Где ваша гитара, Нина?
Нина:	Она в университете. Это далеко.
Миша:	Ну, ничего. Пойдёмте играть на гитаре у меня.
Борис и Нина:	Пойдёмте.

Nina:	Yes, it's fine. What's your tea like?
Boris:	It's alright too. Are you going to the university now?
Nina:	Yes, I'm going to the university, to the library.
Boris:	What are you reading there?
Nina:	I'm reading a journal about music.
Boris:	Oh, about music. That's interesting.
Nina:	Yes, I'm reading about Mozart.
Boris:	Do you read about music too, Misha?
Misha:	(laughs) No, I don't read about it, I play the guitar.
Boris:	Oh, you play the guitar. That's interesting! Where is your guitar?
Misha:	It's at home.
Nina:	Do let's go over to your place and listen to your guitar, Misha! May we?
Misha:	O.K. Let's go. Boris Petrovich, did you know that Nina plays the guitar too? Where is your guitar, Nina?
Nina:	It's in the university. That's a long way away.
Misha:	Well, never mind. Let's go and play the guitar at my house.
Boris and Nina:	Let's go.

Выражения

зто далеко	that's a long way
очень интересно	very interesting
у меня/у вас дома	at my/your place
правда	it's true…
о чём	about what

Вопросы к тексту

1. Кто хороший артист?
2. Где Нина работает сегодня?
3. Где Миша часто читает?
4. Куда идёт Борис Петрович?
5. Где хороший ресторан?
6. Какой чай в ресторане?
7. О чём читает Нина?
8. Что читает Миша?.
9. Нина тоже играет?
10. Где Миша играет на гитаре?

Произношение
Repeat:
1. (е, и, after ц, ш, ж)
концерт станция
в гостинице хороший

2. (Hard л)
журнал
слушаю

3. (Soft л)
большое
портфель

бо́льше	ва́ши	пожа́луйста	телефо́н
хоро́шее	жил	ве́село	в большо́м портфе́ле
то́же	этажи́		недалеко́
уже́			

Граммати́ческие примеча́ния

A. Another person of the verb is introduced in this lesson, that is, the third person singular игра́ет (subject он or она́) Thus: Ни́на ду́мает, что Дави́д Ойстрах игра́ет о́чень хорошо́.

B. Чита́ть is the infinitive of the verb and means 'to read'. The infinitives of all the verbs of this kind that you have met are as follows: чита́ть, ду́мать, рабо́тать, слу́шать, игра́ть, знать.
Examples of the use of the infinitive:
    Пойдём игра́ть на гита́ре.
    Пойдём чита́ть в библиоте́ке.
    Хорошо́ рабо́тать в университе́те.

C. In order to express *about or concerning*, Russians use о + the locative case. Thus, to the question О чём вы ду́маете? (What are you thinking about?) you could answer: Я ду́маю о Москве́ *or* Я ду́маю о гости́нице.

Упражне́ния

DRILL 1: *Let's go there.*
Вот ресторан.
Пойдёмте в ресторан.

Вот университет.
Пойдёмте в университет.

(кафе, номер, аэропорт)

DRILL 2: *It's a good one.*
Какой это концерт?
Это хороший концерт.

Какой это университет?
Это хороший университет.

(ресторан, чай, лимонад, студент, артист, журнал)

DRILL 3:
Какой у вас чай?
У меня хороший чай.

Какой у вас лимонад?
У меня хороший лимонад.

(портфель, чемодан, номер, журнал)

DRILL 4: *That's where we are going.*
(*университет*) Куда вы идёте?
Мы идём в университет.

(ресторан, номер, кафе, аэропорт, ресторан)

DRILL 5:
(*библиотека*) Где вы читаете?
Я читаю в библиотеке.

(*комната*) Где вы читаете?
Я читаю в комнате.

(университет, номер, гостиница)

DRILL 6: *That's what I'm thinking about.*
Вот журнал. О чём вы думаете?
Я думаю о журнале.

Вот аэропорт. О чём вы думаете?
Я думаю об аэропорте.

(ресторан, паспорт, библиотека, комната, чемода́н, чай)

DRILL 7: *Everything I do, Nina does as well.*

Я рабо́таю. А Ни́на?

Ни́на то́же рабо́тает.

Я слу́шаю. А Ни́на?

Ни́на то́же слу́шает.

(игра́ю, ду́маю, чита́ю)

DRILL 8:

Вот Нина. Вот библиотека.

Да, я знаю, что Нина в библиотеке.

(телефон/коридор; турист/гостиница;
паспорт/портфель; студентка/университет;
радио/чемодан)

DRILL 9: Double item substitution.

Я играю на гитаре.

Вы играете ...

...на концерте

Он играет ...

...дома

Давид Ойстрах ...

DRILL 10: *Let's go there*

Вот гостиница.

Пойдёмте в гостиницу.

Вот университет.

Пойдёмте в университет.

(библиотека, ресторан, театр, комната,
аэропорт, номер три, коридор)

DRILL 11:

А, вот уже Нина.

Так вы знаете Нину?

А, вот уже Миша.

Так вы знаете Мишу?

(студентка, Англия, Москва, гостиница)

DRILL 12: Intonation.

(a) Repetition:

Вы сейчас работаете? Нет, я сейчас не работаю.

Вы сейчас играете? Нет, я сейчас не играю.

Вы сейчас думаете? Нет, я сейчас не думаю.

Вы сейчас читаете? Нет, я сейчас не читаю.

Вы сейчас идёте? Нет, я сейчас не иду.

(b) Now you answer the questions.

(Replay items for Drill 12a)

Те́кст для чте́ния (Reading text)

Вот Москва. В Москве турист Майский, студент Миша, и студентка Нина. Вот театр. В театре концерт. Играет Давид Ойстрах. Он очень хорошо играет. Турист, студент и студентка уже в театре.

– Я Нина. Я студентка. Я часто читаю в библиотеке. Я читаю о музыке, о Моцарте. Я играю на гитаре, но не очень часто.

– Я Борис Петрович. Я турист. В гостинице у меня всё есть в номере – радио, телефон. Я часто слушаю радио. Я ещё не знаю Москву. Здесь очень интересно.

– Я Миша. Я студент. Я хорошо играю на гитаре. Я читаю журнал «Англия». Это хороший журнал.

40

Пе́сня

1. Пойдёмте на конце́рт, Ни́на, у меня́ биле́ты:
   Наш конце́ртный зал совсе́м недалеко́.
   Дава́йте послу́шаем, как Ойстрах игра́ет;
   Пра́вда, Да́вид Ойстрах игра́ет хорошо́!

2. В гости́нице «Пеки́н» есть рестора́н хоро́ший,
   Дава́йте возьмём бу́лочки, дава́йте вы́пьем чай:
   Вы́пейте, вы́пейте ча́ю в «Пеки́не»,
   А Ми́ша, на гита́ре, пожа́луйста, игра́й!

зал	hall
дава́йте послу́шаем	let's listen
вы́пьем	let's drink
вы́пейте	have a drink

Пойдёмте в кафе́, — там хорошо́!

6. Шестóй урóк

Диалóги

I. *Outside the Peking Hotel*

Борúс: Пойдёмте к вам, Мúша, слýшать вáшу гитáру. До вáшего дóма далекó?

Мúша: Нет, недалекó. От ресторáна «Пекúн» до моегó дóма – тóлько два километра. До Большóго теáтра одúн киломéтр, а от теáтра до моегó дóма ещё киломéтр.

Нúна: А, э́то далекó!

Борúс: Да нет, два километра – э́то не так далекó!

Мúша: Да и трáнспорта нет. До метрó и до автóбуса далекó!

Нúна: Ну, что же. Пойдёмте пешкóм!

II. *The three friends enter Misha's flat*

Мúша: Ну вот нáша квартúра. Кáжется мáма дóма. Мáма, где ты? На кýхне? А нет. Онá ещё на рабóте. Садúтесь, пожáлуйста, на дивáн.

Борúс: Какáя у вас хорóшая кóмната, Мúша!

Мúша: Да, квартúра хорóшая!

Борúс: Вы здесь рабóтаете?

Мúша: Нет. Я рабóтаю в спáльне. Здесь мáма рабóтает, рáдио игрáет ...

Борúс: Да, и телефóн у вас здесь ...

Мúша: Да. Но в спáльне хорошó. Там, конéчно, мóжно рабóтать. А где моя́ гитáра? Кáжется, онá в спáльне. Нет, в спáльне нет. Ничегó, мáма знáет. (*footsteps ... door opens*) А, вот онá идёт. Здрáвствуй, мáма. Ты знáешь Нúну?

Мáма: Да, конéчно, знаю. Здрáвствуйте, Нúна!

Нúна: Здрáвствуйте!

Мúша: А вот э́то Борúс Петрóвич, турúст из Кúева.

Мáма: Здрáвствуйте, óчень рáда.

Борúс: Здрáвствуйте, óчень рад.

III. *Still in Misha's flat*

Мúша: Мáма, ты не знáешь, где моя́ гитáра? Я не знáю, где онá.

Мáма: Да что ты, Мúша! Вот онá у дивáна!

Мúша: Ах, да, конéчно, спасúбо. (*strums*)

Мáма: Что э́то ты игрáешь?

Мúша: А ты не знáешь, мáма? (*plays tune*)

Нúна: Он хорошó игрáет, прáвда, Борúс Петрóвич?

Борúс: Да, óчень хорошó. А вы чáсто игрáете на гитáре, Нúна?

Нúна: Нет, не óчень чáсто. Я всегдá рабóтаю. Я не игрáю так хорошó как Мúша.

Слова́рь (Vocabulary)

N.B. *Where no English meaning is given, you should be able to guess the meaning from the Russian form of the word.*

до	to, as far as	ка́жется	it seems, I think.
дом	house	кварти́ра	flat, apartment
от	from	ма́ма	
то́лько	only	ты	you (*familiar torm*)
киломе́тр		ку́хня	kitchen
Большо́й теа́тр	Bolshoi Theatre (lit. 'Big Theatre')	рабо́та	work
		сади́тесь!	sit down!
тра́нспорт		дива́н	settee, (divan)
нет + *gen.*	there is no	коне́чно	of course
метро́	Metro, underground, subway	спа́льня	bedroom
авто́бус		из	from
пешко́м	on foot	рад(-а)	pleased
		у	by, near

Выраже́ния

пойдёмте пешко́м – let's go on foot
сади́тесь, пожа́луйста – sit down, please
о́чень рад(а) – very pleased to meet you

Вопро́сы к те́ксту

1. Как далеко́ от рестора́на «Пеки́н» до Большо́го теа́тра?
2. Где Ми́ша рабо́тает?
3. Где гита́ра?
4. Где ма́ма рабо́тает?
5. До метро́ далеко́?
6. В кварти́ре есть телефо́н?
7. Ни́на ча́сто игра́ет на гита́ре?

Произноше́ние

1. (Pretonic a)
   рабо́та   бага́ж
   сади́тесь спаси́бо
   како́й   Како́й арти́ст!
   авто́бус   Спаси́бо большо́е.

2. (Unstressed a)
   далеко́   Пра́вда
   су́мка   Ми́ша
   гости́ница до́ма
   ду́мать   Ва́ша су́мка до́ма, Ни́на?

3. (тр and пр)
   тра́нспорт у теа́тра   пропага́нда
   теа́тр   два киломе́тра пра́ктика
   киломе́тр   Пра́вда   До теа́тра два киломе́тра, а тра́нспорта нет.

Граммати́ческие примеча́ния

A. The pronunciation of г as в does not only apply in words like ничего́ and сего́дня (Lesson 4, Useful phrases) which are originally genitive forms, but is universal in the genitive singular endings of masculine and neuter adjectives (–ого, –его) e.g. Большо́го теа́тра, от моего́ до́ма, etc.

B. Note the emphatic, almost argumentative, Да in the phrase да нет ('certainly not!') Да does not here mean 'Yes'.

C. A very useful expression in Russian is мо́жно + the infinitive, e.g. мо́жно игра́ть? (may I play?), мо́жно рабо́тать (one can work).

D. The main construction in this lesson is the genitive case of masculine nouns.
   (a) By itself the genitive normally expresses possession (English *of* or *'s*). It can also be used to express a quantity (a cup of tea or some tea). Unlike the English possessive, the Russian genitive normally follows the noun or object possessed, e.g. па́спорт тури́ста, журна́л студе́нта.
   (b) The genitive case is used after certain prepositions:
   у (by, near) – e.g. Гита́ра у дива́на.
   до (to, up to)
   от (from [distance from])
   из (out of, from) – Бори́с Петро́вич из Ки́ева. Из is often used after verbs of motion.
   (c) The genitive case is used after нет (no, there is no); e.g. тра́нспорта нет (there is no transport), авто́буса нет (there is no bus).
   (d) After the numerals 2, 3 and 4 the genitive singular is used. You have only met два (two) and три (three) up to now. Thus: До моего́ до́ма два киломе́тра.
   У меня́ три чемода́на.

E. Note that the form *ты*, which Misha and his mother use in dialogue 2, is the familiar alternative of *вы*. It is only used between close friends and relatives or when addressing children. The verb ends in шь, e.g. ты зна́ешь, etc. Note that the greeting «Здра́вствуйте» becomes «Здра́вствуй» when the ты form is used.

F. The adjectives derived from nouns sometimes end in –ский (genitive –ского). Hence (Drill 1) моско́вского (Moscow'(s)) тури́стского (tourist), ленингра́дского (Leningrad'(s)).

Упражне́ния

DRILL 1: *No, not far, only two kilometres.*
До вашего дома далеко?
Нет, только два километра.

До Большого театра далеко?
Нет, только два километра.

(Московского университета, туристского автобуса, ленинградского аэропорта, хорошего ресторана)

DRILL 2: *Is it far?* Perhaps you're not very fond of walking. Show some concern in your intonation.
Пойдем в театр.
До театра далеко?

Пойдем в аэропорт.
До аэропорта далеко?

(ресторан, Большой театр, университет.)

DRILL 3: *Yes, it's not far away.*

Вы знаете, где дом?

Да, до дома не очень далеко.

Вы знаете, где театр?

Да, до театра не очень далеко.

(университет, автобус, аэропорт, кафе, ресторан)

DRILL 4: *Yes, the hotel's not far from there.*

Вот университет.

Да, гостиница недалеко от университета.

Вот театр.

Да, гостиница недалеко от театра.

(аэропорт, ресторан, Киев.)

DRILL 5:

Вот театр. Вот дом.

От театра до дома недалеко.

Вот университет. Вот ресторан.

От университета до ресторана недалеко.

(аэропорт/кафе; автобус/метро; дом/автобус)

DRILL 6: *No, it's only one kilometre from my house.*

Театр далеко от вашего дома?

Нет, от моего дома до театра только один километр.

Университет далеко от вашего дома?

Нет, от моего дома до университета только один километр.

(автобус, ресторан, аэропорт, кафе, метро)

DRILL 7:

Вот театр. Там ресторан.

Я иду из театра в ресторан.

Вот университет. Там театр.

Я иду из университета в театр.

(номер/коридор; дом/гостиница; кафе/библиотека; Киев/Москва)

DRILL 8:

У вас есть лимонад?

Нет, у меня нет лимонада.

У вас есть чай?

Нет, у меня нет чая.

(паспорт, чемодан, журнал, телефон)

DRILL 9

У вас есть сумка и паспорт?

Сумка есть, а паспорта нет.

У вас есть портфель и чемодан?

Портфель есть, а чемодана нет.

(радио/телефон; портфель/паспорт; правда/журнал; паспорт/багаж)

DRILL 10: *No, its not mine.*

Это ваш журнал?

Нет, это не мой журнал.

Это ваша сумка?

Нет, это не моя сумка.

(чемодан, паспорт, чай, квартира, гитара, мама, диван, спальня)

DRILL 11:

У вас один чемодан?

У меня два чемодана.

У вас один паспорт?

У меня два паспорта.

(журал, телефон, дом)

Пе́сня

ПОЙДЁМТЕ

3. Пойдёмте к вам домо́й, Ми́ша, слу́шать ва́ши пе́сни.
    Ма́ма на рабо́те, сади́тесь на дива́н.
    По́йте, так по́йте нам пе́сни под гита́ру,
    Гита́ра не на ку́хне, она́ же вон там!

4. Пойду́ я в гости́ницу, мне уже́ по́здно;
    Ни́на на метро́ е́дет в университе́т.
    Вам на метро́, Ни́на, пло́щадь Револю́ции,
    А я иду́ послу́шать по ра́дио конце́рт.

пе́сни songs
по́йте sing

Текст для чтения

ПАСПОРТ

Виктор администратор. Он работает в гостинице, в Ленинграде.

Турист идёт в гостиницу. Виктор думает:

«Вот английский турист.»

Виктор говорит:

Здравствуйте! Вы товарищ Браун? Ваш паспорт, пожалуйста.

Товарищ Браун не знает, где паспорт. В сумке? В чемодане? Ах, да, паспорт в портфеле! А где портфель? Портфель в коридоре!

Браун идёт в коридор. Вот багаж. Сумка и чемодан. А портфель? Где портфель?

У администратора телефон. Браун говорит:

– Ваш телефон можно?

– Алло, алло! Аэропорт? Вы слушаете? Говорит Браун, английский турист. Вы не знаете, где мой портфель? В портфеле паспорт. Моя фамилия Браун. Мой портфель у вас? Как хорошо! Спасибо! Я сейчас в гостинице «Москва». Можно сейчас к вам? Хорошо! До свидания!

Виктор слушает и думает:

«Товарищ Браун не знает, где аэропорт. Там интересно. Я тоже в аэропорте.»

английский	English
говорит	says
фамилия	surname

Там, конечно, можно говорить.

7. Седьмой урок

Диалоги

I. *Misha's flat*

Ни́на: Уже́ по́здно. Я иду́ домо́й.

Ми́ша: Что вы, Ни́на, ещё не так по́здно! Сади́тесь. Где ма́ма? Она́ на ку́хне. Ма́ма, чай есть?

Ма́ма: Сейча́с, дорого́й мой.

Ни́на: Нет, нет. До университе́та далеко́.

Бори́с: Я то́же иду́. Ми́ша, от э́того до́ма до гости́ницы далеко́?

Ми́ша: Да нет, недалеко́. Ни́на то́же туда́ идёт.

Ни́на: Да, я иду́ на метро́. Ста́нция у гости́ницы, на пло́щади Револю́ции.

Бори́с: Ах да, зна́ю. Э́то недалеко́ от Большо́го теа́тра!

Ма́ма: Вот ви́дите, как Бори́с Петро́вич уже́ хорошо́ зна́ет Москву́!

Бори́с: Да, ничего́. Большо́е вам спаси́бо за о́чень прия́тный ве́чер. До свида́ния.

Ни́на: Спаси́бо за му́зыку, Ми́ша. Я так люблю́ гита́ру. До свида́ния.

Ми́ша. Всего́ хоро́шего.

Ма́ма: До свида́ния.

II. *In the street on the way back to Boris's hotel*

Бори́с: Како́й прия́тный ве́чер! И как я люблю́ ва́шу краси́вую Москву́!

Ни́на: Да, краси́вая Москва́. А Ки́ев то́же краси́вый го́род?

Бори́с: Да, о́чень краси́вый. Вы зна́ете, что у нас в Ки́еве то́же большо́й университе́т?

Ни́на: Зна́ю. У нас в университе́те есть одна́ студе́нтка из Ки́ева. Она́ лю́бит Москву́, но всё вре́мя ду́мает о Ки́еве.

Бори́с: В Ки́еве так хорошо́. У нас хоро́шая кварти́ра, пра́вда, небольша́я, недалеко́ от краси́вого па́рка.

Ни́на: Ну вот уже́ Большо́й теа́тр. Я иду́ туда́ на пло́щадь Револю́ции. Ста́нция метро́ там. Всего́ хоро́шего, Бори́с Петро́вич.

Бори́с: До свида́ния, Ни́на.

III.

Бори́с: (*to himself:*) Како́й хоро́ший ве́чер! А где администра́тор? Так ... администра́тора нет. Ну, ничего́. Ду́маю, что зна́ю, где моя́ ко́мната. Оди́н ... два ... вот но́мер три! Как прия́тно быть до́ма! Послу́шаю ра́дио. (*Switches on: sounds of music—last chords and applause*)

Ди́ктор: Вы слу́шаете конце́рт Мо́царта. Игра́ет Дави́д Ойстрах. (*opening bars of a Mozart violin concerto*)

Бори́с: Как я люблю́ му́зыку Мо́царта!

Слова́рь

по́здно	late	ви́дите	you see
дорого́й	dear, expensive	за	for
туда́	there, thither	прия́тный	pleasant
ста́нция	station	ве́чер	evening
пло́щадь	square	вре́мя	time
Револю́ции	of the (1917) Revolution	я люблю́	I love

краси́вый	beautiful		парк	park
го́род	city		ста́нция метро́	underground station
небольшо́й	small			

Выраже́ния

у нас	we have, at our place
спаси́бо за (+ acc.)	thank you for
всего́ хоро́шего!	all the best! Cheerio!
как прия́тно	how pleasant it is

Вопро́сы к те́ксту

1. От до́ма до гости́ницы далеко́?
2. Бори́с Петро́вич хорошо́ зна́ет Москву́?
3. Ми́ша лю́бит игра́ть на гита́ре?
4. Где он игра́ет?
5. В Ки́еве есть университе́т?

6. У Бори́са больша́я кварти́ра?
7. Где кварти́ра Бори́са?
8. Где гости́ница Бори́са?
9. Что слу́шает Бори́с?
10. Кто игра́ет?

Произноше́ние

Repeat:

1. (у)
   Москву́
   ку́хня
   большу́ю
   ду́маю
   му́зыку
   слу́шаю
   Я слу́шаю му́зыку.
   Я иду́ на ку́хню.

2. (soft с)
   сейча́с
   спаси́бо
   есть
   краси́вый
   университе́т
   сего́дня
   сади́тесь
   Сади́тесь, авто́бус сейча́с идёт в университе́т.
   Спаси́бо, ко́фе у меня́ есть.

3. (щ)
   ещё
   пло́щадь
   това́рищ
   Вам ещё, това́рищ?
   « Щи да ка́ша – пи́ща на́ша ». (Proverb)

Граммати́ческие примеча́ния

A. You will have noticed that certain adjectives have already appeared in earlier lessons. They have not so far been important enough to discuss as a special point of grammar. We have tried up to now to associate the adjectives closely with nouns, e.g. Большо́й теа́тр, краси́вый Ки́ев, etc. *Masculine adjectives* in the nominative case may end in -ый (краси́вый), -ой (большо́й) or -ий (хоро́ший). Adjectives ending in -ый and -ой always have the genitive ending -ого (with г pronounced as в), e.g. Это недалеко́ от Большо́го теа́тра. The stress remains throughout all cases on the same syllable as in the nominative, i.e. краси́вый – краси́вого, большо́й – большо́го.

Note: Этот (this) behaves like an adjective – Недалеко́ от э́того па́рка.

Adjectives ending in -ий (except when the proceeding letter is г, к or х) have the genitive

Видите, сегодня директора здесь нет.

in -его (with г pronounced as в), e.g. хоро́шего рестора́на. (See Spelling Rule 5 on p.126 and declension table p.128)

Наш (our), ваш (your) and всё [весь] (all) also behave in this way: недалеко́ от на́шего дома; всего́ хоро́шего; до ва́шего до́ма далеко́? (Lesson 6)

B. *Feminine adjectives.* The nominative case of feminine adjectives nearly always ends in -ая e.g. У нас хоро́шая кварти́ра, пра́вда, небольша́я ...

In the accusative case the feminine adjectives end in -ую, e.g. Как я люблю́ ва́шу краси́вую Москву́.

Note: Words like ваш etc., with a short ending in the feminine nominative (ва́ша), similarly have a short ending in the accusative (ва́шу).

C. The accusative of feminine nouns ending in -ь is the same as the nominative — на пло́щадь (to the square)

D. The verb люби́ть (Type II) has endings люблю́ (I love) and лю́бит (he/she loves) contrasting with the -аю and -ает (Type Ia) endings of verbs previously encountered. Some verbs of this type have stress moving from the ending to the stem. It is therefore worth learning both 1st and 2nd persons singular: e.g. я люблю́

        ты лю́бишь

  BUT я ви́жу

        ты ви́дишь

Упражне́ния

DRILL 1: Showing gratitude.
Концерт.
Спасибо за очень хороший концерт.
Чай.
Спасибо за очень хороший чай.
(лимонад, портфель, вечер, журнал)

DRILL 2: Showing admiration.
Вы видите университет?
Какой он красивый!
Вы видите гостиницу?
Какая она красивая!
(Москву, Киев, комнату, автобус, театр, парк, студентку, станцию)

DRILL 3: *It belongs to him.*
У туриста портфель.
Это портфель туриста.

У студента журнал.
Это журнал студента.
(У администратора телефон; у артиста гитара; у Бориса квартира; у студента комната)

DRILL 4: Now the other way round.
Это портфель туриста.
У туриста портфель.
Это журнал студента.
У студента журнал.
(телефон администратора; гитара артиста; квартира Бориса; комната студента)

DRILL 5: Liking the same things as Nina.
Нина любит Правду.
Да, я тоже люблю читать Правду.
Нина любит музыку Моцарта.
Да, я тоже люблю слушать музыку Моцарта.
(радио, журнал, вашу гитару)

DRILL 6: *My flat is not far from there.*

Какой красивый парк! Где ваша квартира?

Недалеко от этого красивого парка.

Какой большой парк! Где ваша квартира?

Недалеко от этого большого парка.

(большой ресторан, приятный парк, приятный ресторан)

DRILL 7

Вы знаете Москву?

Да, я очень люблю вашу красивую Москву.

Вы знаете Киев?

Да, я очень люблю ваш красивый Киев.

(театр, парк, библиотеку, университет, гостиницу, дом, квартиру, Англию)

DRILL 8: *If Kiev is, so is Moscow.*

Киев красивый. А Москва?

Москва тоже красивая.

Киев большой. А Москва?

Москва тоже большая.

(приятный, хороший)

DRILL 9: *Where to? Where? Did I hear you correctly?*

Я иду в парк.

Куда?

Она в библиотеке.

Где?

(Я иду в ресторан; мы в комнате; вы идёте в парк; я иду в театр)

Пе́сня

ДАЛЕКО́, ДАЛЕКО́

Дале-ко́, да-ле-ко́; всё здесь хо-ро-шо́, Но где го́-род род-но́й, я не зна́-ю. То́ль-ко

ви́——жу во сне́, Как и-гра́л я в ка-фе́, Как сей-ча́с на ги-та́—ре и—гра́-ю.

1. Далеко́, далеко́; всё здесь хорошо́,
   Но где го́род родно́й, я не зна́ю.
   То́лько ви́жу во сне́,
   Как игра́л я в кафе́,
   Как сейча́с на гита́ре игра́ю.

2. Далеко́, далеко́; быть в Москве́ хорошо́,
   Но игра́ет всё моя́ гита́ра;
   Она́ пла́чет о том,
   Как забы́л я свой дом
   Далеко́, далеко́, где игра́л я.

го́род родно́й	home town
то́лько	only
ви́жу во сне	I dream
она́ пла́чет	it is weeping
забы́л я	I have forgotten

8. Восьмой урок

Диалоги

I. *Boris Petrovich's hotel room: morning*

(Knock on door)

Бори́с: *(wakes, yawns loudly)* Ох, кото́рый час? Де́сять часо́в – уже́ по́здно! *(another knock)* А кто́ там в коридо́ре? Кто́ там?

Ива́н Ива́нович: Это я.

Бори́с: Ива́н Ива́ныч? Я сейча́с. *(opens door)* Здра́вствуйте!

Ива́н Ива́нович: Здра́вствуйте! Вы зна́ете, что уже́ де́сять часо́в?

Бори́с: Да, зна́ю. Скажи́те, пожа́луйста, где мо́жно поза́втракать?[1]

Ива́н Ива́нович: Уже́ по́здно. Рестора́н в гости́нице закры́т.

Бори́с: А в буфе́те мо́жно поза́втракать?

Ива́н Ива́нович: Да, мо́жно. Буфе́т ещё откры́т. Но там то́лько чай, ко́фе и фру́кты.

Бори́с: Ничего́. Это хоро́ший за́втрак:[1] всё, что мне ну́жно. Буфе́т у вхо́да, пра́вда?

Ива́н Ива́нович: Да, недалеко́ от вхо́да.

II. *The hotel buffet*

Бори́с: *(goes up to man at counter)* Скажи́те, пожа́луйста, буфе́т ещё откры́т?

Челове́к: Да, откры́т, но де́вушки[2] нет.

Бори́с: Где же она́? На ку́хне?

Челове́к: Нет. Она́ там у вхо́да. Слу́шает ра́дио.

Бори́с: Де́вушка!

Де́вушка: Одну́ мину́ку. Я сейча́с.

Бори́с: *(to man)* Да, слу́шать ра́дио прия́тно. Но за́втракать то́же хорошо́.

Де́вушка: *(comes up)* Что вам ну́жно?

Бори́с: Чай у вас есть?

Де́вушка: Нет, ча́я нет. Но ко́фе есть.

Бори́с: А э́то всё, что у вас есть?

Де́вушка: Да, уже́ де́сять часо́в. У нас то́лько ко́фе, фру́кты и бу́лочки.

Ьори́с: Ничего́. Да́йте мне ко́фе и бу́лочку.

Де́вушка: Одну́ бу́лочку?

Бори́с: Одну́, пожа́луйста.

Де́вушка: Хорошо́. Одну́ мину́тку.

III.

Де́вушка: *(comes up to table)* Вот ко́фе и бу́лочки.

Бори́с: Спаси́бо. Да́йте мне то́лько одну́ бу́лочку.

---

[1] за́втрак, поза́втракать: although these words normally refer to a meal taken at breakfast time, they may also mean a light lunch. Russians in general follow a less rigid schedule than we do as far as meals are concerned and find our insistence on set meal-times rather curious.

[2] Although де́вушка means a girl in her teens or early twenties, it is normal to address waitresses, shop assistants and other public servants of whatever age as де́вушка.

Де́вушка:	Вы тури́ст, да? Из како́го го́рода?
Бори́с:	Я из Ки́ева.
Де́вушка:	Из Ки́ева. Како́й краси́вый го́род!
Бори́с:	Да, краси́вый. А вы зна́ете Ки́ев?
Де́вушка:	Нет, я го́рода не зна́ю. Но я зна́ю де́вушку там. Она́ рабо́тает в буфе́те в па́рке недалеко́ от гости́ницы «Украи́на».
Бори́с:	А, я хорошо́ зна́ю э́ту гости́ницу. Это недалеко́ от моего́ до́ма. Буфе́т я то́же зна́ю. Там о́чень краси́во.
Де́вушка:	Да, Та́ня рабо́тает там. Как прия́тно рабо́тать в па́рке! А у нас нет па́рка. Я всё здесь в гости́нице рабо́таю!

Слова́рь

поза́втракать/за́втрак	to have breakfast/breakfast	вход	entrance
закры́т	shut	де́вушка	girl, waitress
откры́т	open	бу́лочка	bread-roll
буфе́т	buffet	всё	always, all the time
ко́фе (*indecl. masc.*)		челове́к	man, person
фру́кты (*pl.*)			

Выраже́ния

да́йте мне	give me	де́сять часо́в	ten o'clock
скажи́те, пожа́луйста	tell me, please	одну́ мину́тку	just a moment
кото́рый час?	what time is it?	мне ну́жно	I need

Вопро́сы к те́ксту

1. Кто в коридо́ре?
2. Кото́рый час?
3. Где мо́жно поза́втракать?
4. Рестора́н откры́т?
5. Что в буфе́те?

6. Где буфе́т?
7. Где де́вушка?
8. Прия́тно слу́шать ра́дио?
9. Из како́го го́рода де́вушка в буфе́те?
10. Где Та́ня рабо́тает?

Кажется, у нас всё есть!

Произношение

Repeat:

1. (ы)	2. (и)	3. (ы and и mixed)	4. (Final ть)
вы	из	Вы чита́ли э́ти журна́лы?	пять
мы	Ни́на	Гости́ница закры́та.	чита́ть
ты	арти́ст	У арти́ста фру́кты.	игра́ть
фру́кты	гости́ница		ду́мать
откры́т	лимона́д		есть
закры́т	лифт		слу́шать
кото́рый час	чита́ли		
краси́вый	три		
журна́лы	оди́н		

5. (Final and devoiced в)

Ки́ев	вчера́	всё	вчера́ в пять часо́в
краси́в	за́втрак	всегда́	Этот вход краси́в
часо́в	вход	в пять	Ки́ев всегда́ краси́в.

Граммати́ческие примеча́ния

A. *Short adjectives.* The words for *open* and *shut* (откры́т, закры́т) are short adjectives. They are only used as predicates, e.g. Рестора́н закры́т (the restaurant is closed) and normally follow the noun. Another short adjective you have met is рад (pleased, glad). To form the feminine, simply add -а, e.g. Библиоте́ка откры́та (The library is open). These forms are only used in the nominative case.

The neuter form ends in -о and is used after neuter and indeclinable nouns like кафе́, метро́, and in generalised impersonal expressions like Как там краси́во! (How pretty it is there!) Что вам ну́жно, etc.

B. Imperatives are formed in Russian simply by adding -ите or -йте to the stem of the present tense. If the stem ends in a consonant add -ите (скáж/ет – скаж/и́те; ид/ёт – ид/и́те); if it ends in a vowel, add -йте (да/ёт – да́/йте; игра́/ет – игра́/йте). For the familiar (ты) form delete -те in both cases.

C. *Мне* and *вам* are in the dative case. The dative is used for the indirect object of a sentence, e.g. Да́йте мне то́лько одну́ бу́лочку (Give me just one roll), Скажи́те мне, пожа́луйста, где мо́жно поза́втракать? (Please tell me where one can have breakfast). Мне does not occur in the text with скажи́те until later, and in this construction it is not compulsory. But it serves as a good example of how the dative is used in Russian.

The dative is also used with *ну́жно* to indicate a person's needs, e.g. Что вам ну́жно? (What would you like? — lit. What do you need?), Мне ну́жно за́втракать (I must have breakfast).

D. Although Russian does not normally require the verb 'to be' in the present tense (e.g. Буфе́т ещё откры́т? — *Is* the buffet still open? Вот она́ у вхо́да. — There she *is* by the door), the form есть is sometimes used for emphasis, (a) in questions Чай у вас есть? (b) in answers: Да есть (or Да, чай у нас есть). The negative answer to a question with есть? is нет. Notice that the emphasis in questions of this type is on the presence or absence of the thing in question:

Чай у вас есть?   Нет, чая нет, но кофе есть.

E. You may have noticed in Lesson 7 that the radio announcer said: Вы слушаете концерт музыки Моцарта (You are listening to a concert of Mozart's music). музыки is in the genitive case. In this lesson you also have девушки нет (there is no girl there). Feminine genitives are formed by changing -a to -ы, e.g. у Нины, and -я, -ь to -и, e.g. из Англии, до площади. (BUT see Spelling Rule I, p.126).

Упражнения

DRILL 1: *No, I haven't got one yet. Please give me one.*

Товарищ, у вас уже есть булочка?
Нет, дайте мне, пожалуйста, булочку.

Товарищ, у вас уже есть чай?
Нет, дайте мне, пожалуйста, чай.

(сумка, лимонад, гитара, журал, портфель, кофе)

DRILL 2:

Вот буфет. Где можно позавтракать?
Можно позавтракать в буфете.

Вот библиотека. Где можно читать?
Можно читать в библиотеке.

(*Вот театр.* Где можно слушать музыку?
Вот университет. Где можно работать?
Вот парк. Где можно играть?)

DRILL 3: *No, we can't go there. It's already closed.*

Пойдёмте в ресторан.
Нет, ресторан уже закрыт.

Пойдёмте в гостиницу.
Нет, гостиница уже закрыта.

(библиотеку, парк, Большой Театр, буфет, вашу комнату)

DRILL 4: *Yes, we can go there. It's still open.*

Пойдёмте в ресторан.
Да, ресторан ещё открыт.

Пойдёмте в гостиницу.
Да, гостиница ещё открыта.

(other items as for Drill 3)

DRILL 5: Someone is very glad to see you.

(Борис Петрович)
Борис Петрович очень рад видеть вас.

(Нина)
Нина очень рада видеть вас.

(студент, студентка, мама, я, он, она, турист, администратор)

DRILL 6: When offered two things, always choose the first.

Что вам нужно, булочку или чай?
Дайте мне, пожалуйста, булочку.

Что вам нужно, портфель или сумку?
Дайте мне, пожалуйста, портфель.

(лимонад/чай; Правду/журнал; радио/гитару)

DRILL 7: *Yes, it's necessary.*

Вы сегодня работаете?
Да, мне нужно работать.

Вы сегодня читаете?
Да, мне нужно читать.

(играете на гитаре; думаете о работе; завтракаете; слушаете радио.)

DRILL 8: The place is open, but the person isn't there yet.

Нина уже в библиотеке?
Нет, библиотека открыта, но Нины ещё нет.

Турист уже в номере?
Нет, номер открыт, но туриста ещё нет,

(студент/университет; студентка/университет; мама/квартира; Борис/театр)

DRILL 9: *No, not here yet.*

Нина здесь?
Нет, Нины ещё нет.

Студент здесь?
Нет, студента ещё нет.

(мама, девушка, турист, студентка)

DRILL 10: Intonation.

This is the normal way of asking for information.

Repeat:

Скажите, пожалуйста, где можно позавтракать?

Скажите, пожалуйста, где можно почитать журналы?

(послушать концерт; поиграть на гитаре; послушать радио; поработать)

DRILL 11: Intonation.

Repeat:

Вы студент?
Нет, я не студент. А вы?
Вы турист?
Нет, я не турист. А вы?

(артист, студентка, администратор, артистка)

Песня

ДАЛЕКО, ДАЛЕКО

3. Далеко, далеко; вот не встал я ещё,
Вижу десять часов – уже поздно!
Как иду я в буфет,
Уже девушки нет,
И позавтракать там невозможно.

4. Далеко, далеко; как читаю письмо,
Мне о девушке думать приятно.
Вот узнай мой секрет:
Уж купил я билет –
Скоро еду я в Киев обратно!

я встал	I have got up
невозможно	it isn't possible
узнай	learn
письмо	letter
еду я обратно	I'm going back
скоро	soon

Текст для чтения

ПИСЬМО

Дорогая Мама!

Вот я в Москве. Наша квартира недалеко от университета, всего два километра. Транспорт тут хороший и на работу не так далеко.

У нас очень хорошая квартира. В комнате стол, диван и телефон. Я часто работаю на кухне. Радио у нас в спальне.

У Вани гитара. Он очень хорошо играет. Ваня сидит на диване и играет, а я слушаю.

Как там у Вас дома? Всё хорошо?

Сегодня мы пойдём в Большой театр слушать оперу «Ромео и Джульетта» Прокофьева. Я хорошо знаю драму Шекспира и у нас в библиотеке есть книга о музыке Прокофьева. Я читаю эту книгу, когда я не работаю. Очень интересно!

От театра до кафе не так далеко, только километр. После театра мы идём в кафе. Там и студент, и студент, и турист, и профессор сидят вместе, слушают радио, говорят, читают газету.

Вот и всё! У нас в Москве хорошо и очень интересно.

До свидания,

Маша.

всего	in all, only	сидят	sit
стол	table	вместе	together
книга	book	газета	newspaper
после	after	вот и всё	and that is all

9. Девя́тый уро́к

Диало́ги

I. *Boris Petrovich goes up to the hotel administrator's desk*

Бори́с:	Здра́вствуйте! Скажи́те, пожа́луйста, у вас есть письмо́ из Ки́ева?
Администра́тор:	Здра́вствуйте! Ва́ша фами́лия, пожа́луйста?
Бори́с:	Моя́ фами́лия Ма́йский.
Администра́тор:	Одну́ мину́тку, пожа́луйста. Ма́йский ... Ма́йский ... А вот, я ви́жу письмо́!
Бори́с:	Большо́е спаси́бо. Это письмо́ от ма́мы. А у вас есть откры́тки?
Администра́тор:	Да, есть. Вот краси́вая откры́тка. Ско́лько вам ну́жно?
Бори́с:	Да́йте мне две. И две ма́рки, пожа́луйста.
Администра́тор:	Вот ва́ши откры́тки и ма́рки. Пожа́луйста.
Бори́с:	Кака́я краси́вая фотогра́фия Большо́го теа́тра! Да́йте мне ещё две, пожа́луйста. Ско́лько с меня́?
Администра́тор:	Сейча́с. Здесь четы́ре откры́тки и две ма́рки. Всё, да? С вас три́дцать копе́ек, пожа́луйста.

II. *Boris stands and reads his letter in the foyer*

Бори́с:	Дорого́й Бо́ря, ...
Мать Бори́са:	Дорого́й Бо́ря!

Как хорошо́, что ты в Москве́. Как там? Очень краси́во и интере́сно, пра́вда? Здесь в Ки́еве мы зна́ем, что Москва́ тако́й большо́й краси́вый го́род. Зна́ешь, недалеко́ от нас, в гости́нице «Украи́на», рабо́тает одна́ де́вушка, Ва́ля. Она́ из Москвы́. Ва́ля здесь рабо́тает уже́ два го́да. Она́ говори́т, что лю́бит Ки́ев, но то́же о́чень лю́бит Москву́, где всё есть: теа́тры, рестора́ны, гости́ницы, па́рки, библиоте́ки, кафе́ и метро́.

Ва́ля тебя́ зна́ет. Она́ говори́т, что ты за́втракаешь в буфе́те, где она́ рабо́тает. Она́ о́чень хоро́шая де́вушка. А ты зна́ешь, что у Ва́ли в су́мке твоя́ фотогра́фия? Вот ты како́й! Я твоя́ ма́ма и не зна́ю!

У нас до́ма всё хорошо́. Мы все ду́маем о тебе́. Ты зна́ешь, как мы тебя́ лю́бим. Приве́т от Ва́ли.

Бори́с:	(*aloud*) Ну, э́то всё. Так ма́ма зна́ет о Ва́ле? Ну, ничего́!

Слова́рь

фами́лия	surname		тако́й	such a
я ви́жу	I see		год	year
откры́тка	postcard		говори́т	says
ма́рка	stamp		тебя́/твоя́	you/your (*familiar*)
фотогра́фия	photo		мы лю́бим	we love
четы́ре	four		приве́т	greetings, regards
ско́лько	how many			

Выраже́ния

Ва́ша фами́лия, пожа́луйста?	What is your name, please?
Моя́ фами́лия . . .	My name is . . .
Ско́лько вам ну́жно?	How many do you need?
Ско́лько с меня́?	How much do I owe you?
С вас . . .	That will be . . .
Вот ты како́й!	So that's what you're like!
Ну, ничего́!	Well, it doesn't matter!
де́лает	*he does*

Вопро́сы к те́ксту

This time choose your answers from the right-hand column, inserting the number of the sentence in the box provided.

1. Ско́лько с меня́? — [4] — Хорошо́, спаси́бо.

2. Ва́ша фами́лия, пожа́луйста — [8] — Нет, да́йте ещё одну́ откры́тку.

3. Где Ва́ля рабо́тает? — [9] — Да, зна́ю.

4. Как ва́ша ма́ма? — [7] — Ду́маю, что идёт.

5. Что она́ сего́дня де́лает? — [1] — С вас три́дцать копе́ек.

6. Как там в Москве́? — [10] — Па́рки, теа́тры, рестора́ны . . .

7. Ни́на то́же идёт в теа́тр? — [6] — Очень интере́сно.

8. Э́то всё? — [5] — Чита́ет в библиоте́ке.

9. Зна́ешь, что у Ва́ли фотогра́фия? — [2] — Ма́йский.

10. Что в Москве́? — [3] — В гости́нице « Украи́на ».

Произноше́ние

Repeat:

1. (Unstressed я)

Ва́ля	сего́дня
Ва́ня	пяти́
Бо́ря	десяти́
фами́лия	девяти́
Англия	Кака́я ты краси́вая сего́дня, Ва́ля!

2. (Hard and soft т)

откры́тка : откры́ть   ты : тебя́
мину́та : скажи́те   Да́йте, пожа́луйста четы́ре откры́тки.
спят : пять   Скажи́те, э́то ты ма́стер спо́рта? *— by the phone*
четы́ре : интере́сно   Интере́сно, кто у телефо́на.
там : телефо́н   *на телефона - on the phone*

Граммати́ческие примеча́ния

A. As you will remember from Lesson 6, два, три, четы́ре (2, 3, 4) are followed by the genitive singular. Два, when followed by a feminine, changes to две.

So we have две ма́рки, две откры́тки, but два чемода́на, два журна́ла, etc.

B. The first person plural (мы, we) of the Russian verb ends in -м. You have already had пойдём (let's go) as a useful phrase. This is the first person plural. Thus: мы ду́маем (type Ia verbs) and мы лю́бим (type II verbs).

C. *Тако́й* with an adjective means 'such', e.g. Москва́ тако́й большо́й го́род (Moscow is such a large city). *Ending agrees with gender of noun*

D. *Тебя́* is the accusative and genitive of ты.
Тебе́ is the dative.

E. The Nominative Plural is formed by the addition of -ы or -и to the stem of the noun, e.g. биле́ты (tickets), гости́ницы (hotels), etc. Where the stem ends in к, г, х, ш, ж, ч, or щ the ending must be -и (see Spelling Rules, p.126). Note that masculine and feminine are not distinguished in the nominative plural. Neuter nouns in -о have nominative plural in -а (письмо́ – пи́сьма); those in -е have -я. Indeclinable neuter nouns (e.g. ко́фе, кафе́, кино́, метро́, такси́) do not change their form.

F. You have already met the two prepositions *от* and *из* (Lesson 6). Contrast the use of the two prepositions in the following sentences:

У меня́ письмо́ от ма́мы.
У меня́ письмо́ из Ки́ева.

With places из is normally used, and with people от is used.

Упражне́ния

DRILL 1: *Yes, I have to, so I am.*
Вам ну́жно рабо́тать в университе́те сего́дня?
Да, сего́дня я рабо́таю.

Вам ну́жно чита́ть сего́дня?
Да, сего́дня я чита́ю.

(игра́ть на гита́ре, слу́шать ра́дио, позавтракать в буфе́те)

DRILL 2: *I have a letter from someone*
Ма́ма. От кого́ у вас письмо́?
У меня́ письмо́ от ма́мы.

Студе́нт. От кого́ у вас письмо́?
У меня́ письмо́ от студе́нта.

(Ми́ша, тури́ст, арти́ст, Бори́с Петро́вич, студе́нтка, администра́тор, де́вушка)

DRILL 3:

(*Мама*) У вас письмо?
Да, У меня письмо от мамы.

(*Киев*) У вас письмо?
Да. У меня письмо из Киева.

(Борис, Нина, Москва, администратор, Лондон)

DRILL 4:

Вот мой журнал.
А у меня два журнала.

Вот моя открытка.
А у меня две открытки.

(комната, билет, диван, квартира)

DRILL 5: *No, give me two, please.*

Вам одну открытку?
Нет, дайте мне, пожалуйста, две.

Вам один портфель?
Нет, дайте мне, пожалуйста, два.

(марку, сумку, лимонад, булочку, чай,
завтрак, гитару)

DRILL 6: (The other way round) *No, just give
me one, please.*

Вам две открытки?
Нет, дайте мне, пожалуйста, одну.

Вам два портфеля?
Нет, дайте мне, пожалуйста, один.

(марки, сумки, лимонада, булочки, завтрака,
гитары, кофе)

DRILL 7:

Вот хорошая открытка.
Да, дайте мне, пожалуйста, две.

Вот хороший портфель.
Да, дайте мне, пожалуйста, два.

(марка, чемодан, журнал, сумка, булочка,
гитара)

DRILL 8: Double item substitution
**Make new sentences by changing a different
part of the sentence each time.**

Мы любим вашу музыку.
Нина . . . .
Нина любит вашу музыку.
. . . . театр.
Нина любит театр.

(Миша, гитара, я, город, мы, музыка)

DRILL 9: *Yes, we do.*

Вы любите?
Да, мы любим.

Вы слушаете?
Да, мы слушаем.

(знаете, думаете, читаете, идёте, видите)

DRILL 10: *Yes, that's what I'm doing.*

Что вы сегодня делаете? Читаете в библиотеке?
Да, сегодня я читаю в библиотеке.

Что вы сегодня делаете? Слушаете радио?
Да, сегодня я слушаю радио.
Что вы делаете? **What are you doing?**

(Играете на гитаре? Завтракаете в буфете?
Идёте в театр? Работаете в университете?)

DRILL 11: *Yes, I can see that it's here.*

Вы видите сумку?
Да, я вижу, что она здесь.

Вы видите портфель?
Да, я вижу, что он здесь.

(Мишу, журнал, сумку, открытку)

DRILL 12:

Я так люблю этот ресторан!
Да, это такой хороший ресторан!

Я так люблю эту квартиру!
Да, это такая хорошая квартира!

(университет, фотографию, чемодан, комнату,
гитару, журнал)

Пе́сня

РАЗ, ДВА, ТРИ, ЧЕТЫ́РЕ

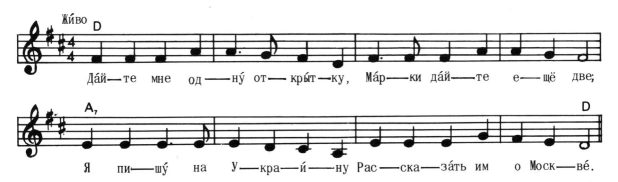

Да́й—те мне од—ну́ от—кры́т—ку, Ма́р—ки да́й—те е—щё две;

Я пи—шу́ на У—кра—и́—ну Рас—ска—за́ть им о Моск—ве́.

1. Да́йте мне одну́ откры́тку,
   Ма́рки да́йте ещё две;
   Я пишу́ на Украи́ну
   Рассказа́ть им о Москве́!
   Раз, два, три, четы́ре—
   Рассказа́ть им о Москве́!

2. Вот письмо́ от мое́й ма́мы:
   «И́з дому приве́т я шлю.
   Я уви́дела у Ва́ли
   Фотогра́фию твою́!»
   Раз, два, три, четы́ре—
   Фотогра́фию твою́!

Я пишу́	I am writing
рассказа́ть им	to tell them
раз	one
я шлю	I send

Лифт не работает. Пожалуйста, дайте
Абдулю Абдулевичу ваш багаж.

10. Деся́тый уро́к

Диало́ги

I. *Misha comes into the hotel foyer.*

Ми́ша: Здра́вствуйте, Бори́с Петро́вич.

Бори́с: А, Ми́ша, приве́т. Как у вас сего́дня? Всё хорошо́? А как ва́ша ма́ма?

Ми́ша: Ничего́, спаси́бо. Приве́т вам от ма́мы. Она́ сего́дня рабо́тает до́ма. Я ви́жу, у вас письмо́.

Бори́с: Да, э́то письмо́ от ма́мы из Ки́ева. А что вы сего́дня де́лаете, Ми́ша?

Ми́ша: Я иду́ в Большо́й теа́тр. У меня́ три биле́та.

Бори́с: Что идёт в теа́тре сего́дня?

Ми́ша: Сего́дня в три часа́ идёт о́пера «Евге́ний Оне́гин».

Бори́с: А, Чайко́вский! Я так люблю́ му́зыку Чайко́вского!

Ми́ша: Вы хоти́те пойти́ в о́перу, Бори́с Петро́вич?

Бори́с: Да, большо́е вам спаси́бо. А Ни́на то́же идёт в теа́тр?

Ми́ша: Я ду́маю, что да. Я сейча́с иду́ в библиоте́ку, где она́ рабо́тает. Вот ваш биле́т.

II. *Misha and Nina meet in the street*

Ми́ша: А, здра́вствуйте, Ни́на! Куда́ вы идёте? Вы не в библиоте́ке? Вы не рабо́таете сего́дня?

Ни́на: Нет, я сейча́с иду́ из библиоте́ки в парк. Я хочу́ погуля́ть. Хоти́те пойдём вме́сте?

Ми́ша: Хорошо́, пойдём!

Ни́на: А где Бори́с Петро́вич?

Ми́ша: Он ещё в гости́нице. Он то́же лю́бит гуля́ть.

Ни́на: Да, гуля́ть прия́тно, но рабо́тать то́же ну́жно!

Ми́ша: Да, Ни́на, я ви́жу, что вы лю́бите рабо́тать и чита́ть.

Ни́на: А когда́ мо́жно послу́шать ва́шу гита́ру, Ми́ша?

Ми́ша: Сего́дня я не игра́ю. Я хочу́ пойти́ в о́перу. Хоти́те пойти́?

Ни́на: Хочу́. А кака́я о́пера идёт?

Ми́ша: «Евге́ний Оне́гин».

Ни́на: А, Чайко́вский! Как я люблю́ Чайко́вского! Но мне ну́жно рабо́тать. Не зна́ю.

Ми́ша: Ну, Ни́на, вы всё рабо́таете и рабо́таете. То́лько о рабо́те и ду́маете! А кака́я рабо́та у вас? Вы чита́ете о му́зыке, я ду́маю. Пойдём же слу́шать Чайко́вского!

Ни́на: А биле́ты у вас есть?

Ми́ша: Да, есть. У меня́ три биле́та.

Ни́на: Три? Так Бори́с Петро́вич то́же идёт? Хорошо́, я то́же пойду́.

Слова́рь

вы де́лаете	you are doing	нам ну́жно	we must
биле́т	ticket	хочу́/хоти́те	I/you want
в три часа́	at three o'clock	пойти́	to go (on foot)
идёт о́пера	there is an opera on	когда́	when
гуля́ть	to have a good time, to take a stroll		

Граммати́ческие примеча́ния

There is only one new grammatical item in this lesson — Я хочу́ (I want). The second person plural is вы хоти́те. Thus the answer to the question Вы хоти́те бу́лочку? could be Да, я хочу́ бу́лочку. (For the full present tense of the verb хоте́ть see p.130).

Пе́сня

РАЗ, ДВА, ТРИ, ЧЕТЫ́РЕ

3. Что идёт в Большо́м теа́тре?
   Вот что Ми́ша мне сказа́л:
   Это о́пера «Оне́гин» —
   Наш Чайко́вский написа́л.
   Раз, два, три, четы́ре —
   Наш Чайко́вский написа́л!

4. Весь день лю́бит на́ша Ни́на
   То́лько рабо́тать и чита́ть;
   В библиоте́ке о́чень ску́чно —
   Пойдём, Ни́на, погуля́ть!
   Раз, два, три, четы́ре —
   Пойдём, Ни́на, погуля́ть!

что идёт	what's on
написа́л	wrote
о́чень ску́чно	it's very boring

весь день – all day
с меня – "from my surface"

Чита́ть прия́тно, но рабо́тать то́же ну́жно!

Те́кст для чте́ния

ТЕАТР И РОЗЫ

Пётр Ива́нович Соколо́в в Москве́. Он тури́ст из Новосиби́рска. Вот его́ гости́ница. Там у него́ но́мер, его́ ко́мната но́мер де́сять.

Он идёт на Кра́сную пло́щадь, ви́дит Кремль и ду́мает: «Кото́рый сейча́с час?»

А, вот часы́. Больши́е часы́. Три часа́. Хорошо́! Пётр Ива́нович хо́чет купи́ть биле́т в теа́тр. Сего́дня он идёт в Моско́вский худо́жественный теа́тр. Там идёт «Ревизо́р» Го́голя, но пока́ у него́ нет биле́та.

Вот ка́сса. Соколо́в говори́т:

— Де́вушка, у вас есть биле́ты на «Ревизо́р»? Есть? Как хорошо́! Оди́н, нет, два биле́та, пожа́луйста. С меня́ четы́ре рубля́? Вот, большо́е вам спаси́бо!

У Петра́ Ива́новича два биле́та. А почему́? Куда́ он так бы́стро идёт? Ах, вот бу́дка. Там телефо́н. Интере́сно!

— Мария Семёновна? Здравствуйте! говорит Пётр Иванович.

— Пётр Иванович Водочкин?

— Нет, нет! Моя фамилия Соколов. Из Новосибирска.

— Извините! Тут у нас в столовой радио играет. Как ваша фамилия? Новосибирский?

— Нет. Соколов. Вы меня знаете по университету.

— А, Пётр Иванович, как я рада! Приходите к нам, чай на столе. Мне интересно знать всё о маме, о вашей работе, о квартире.

— Спасибо, но, видите, у меня уже два билета в театр. Хотите, пойдём сейчас гулять, а в семь часов пойдём в Художественный?

— Вот вы какой! Хотите идти в театр, хотите гулять, а в мою новую квартиру не хотите прийти!

— Очень хочу, но у меня ваш номер телефона есть, а адреса нет. Я не знаю, где ваша новая квартира.

— А у вас нет моей открытки?

— Ах, правда, есть открытка. Вот она! Вижу, и адрес есть. Улица Некрасова дом три, квартира номер двадцать. Сейчас иду. До свидания!

Пётр Иванович думает, что это недалеко. Вот магазин. Какие красивые розы! На открытке от Марии Семёновной тоже розы. Дверь в магазин открыта.

— Здравствуйте. девушка!

— Что вам нужно?

— Розы. Какие у вас хорошие розы в Москве!

— Сколько хотите?

— Десять. Нет одиннадцать. Сколько с меня?

— Три рубля, тридцать копеек.

— Вот, спасибо, до свидания.

Пётр Иванович идёт на улицу Некрасова. Вот дом номер три. Окно открыто, а там в окне Мария Семёновна.

— Пётр Иванович, что я вижу? Розы? Спасибо, дорогой! И в театр идём вместе. Как хорошо!

— Мы, туристы из Новосибирска, любим и театр и розы... а я, Мария Семёновна, люблю и...

— Москву?

— Нет, я люблю вас, Маша!

Кремль	the Kremlin	извините	sorry
часы	clock	столовая	dining-room
купить	to buy	новый	new
художественный	art(-istic)	улица	street
ревизор	government inspector	двадцать	twenty
пока	for the time being	магазин	shop
касса	cash desk, ticket office	дверь	door
почему	why	роза	rose
быстро	quickly	рубль	rouble
будка	booth	окно	window
по университету	through the university	пьеса	play
приходить/прийти	to come		
привет	greetings, hi		

Comprehension questions: multiple choice

Decide which of the alternatives A, B, C or D best completes the sentences below and write the letter in the space provided. Attempt to answer the questions from memory, if necessary reading the passage twice.

1. Пьеса Гоголя ≪ Ревизор ≫ идёт

A по радио.
B в театре.
C в Кремле.
D в гостинице.

2. Фамилия Петра Ивановича –

A Водочкин.
B Новосибирский.
C Соколов.
D Красный.

3. Адрес Марии Семеновны

A на открытке.
B в кассе.
C в столовой.
D на столе.

4. Она видит

A часы.
B окно.
C номер.
D розы.

Grammar review

I Nouns

SINGULAR

	Masculine	Feminine
Nominative	па́спорт	ко́мнат<u>а</u>
Accusative	па́спорт	ко́мнат<u>у</u>
Genitive	па́спорт<u>а</u>	ко́мнат<u>ы</u>
Locative	о па́спорт<u>е</u>	в ко́мнат<u>е</u>

TRANSLATE:

1. The student's passport.
2. The student's room.
3. In the student's room.
4. The student is in the room.
5. I am reading about a student.
6. Let's go into the room.
* 7. Out of the room.

II Prepositions

+ Genitive	+ Accusative	+ Locative
из	в	в
от	на	на
до	за	о
у		

III Personal Pronouns

Nominative	я	ты	мы	вы
Accusative/Genitive	меня́	тебя́	нас	вас
Dative	мне	тебе́	нам	вам

IV Demonstrative Pronouns

SINGULAR

	Masculine	Neuter	Feminine
Nominative	э́тот	э́то	э́та
Accusative	э́тот	э́то	э́ту
Genitive	э́того	э́того	э́той

V Adjectives (long form)

SINGULAR

	Masculine		Feminine	
Nominative	краси́в<u>ый</u>	хоро́ш<u>ий</u>	краси́в<u>ая</u>	хоро́ш<u>ая</u>
Accusative	краси́в<u>ый</u>	хоро́ш<u>ий</u>	краси́в<u>ую</u>	хоро́ш<u>ую</u>
Genitive	краси́в<u>ого</u>	хоро́ш<u>его</u>	краси́в<u>ой</u>	хоро́ш<u>ей</u>
	HARD	SOFT	HARD	SOFT

* из ко́мнаты
за = for

TRANSLATE:

1. What a beautiful city!
2. What a good hotel!
3. Give me that beautiful bag.

4. Let's walk as far as the Bolshoi Theatre. ✗
5. We are not far from your house.
6. My apartment is near a beautiful square.

VI Adjectives (short form) - *don't decline*

Masculine	Feminine
рад	рада
открыт	открыта
закрыт	закрыта

TRANSLATE:

1. Very pleased (to meet you).
2. The buffet is open.
3. The library is closed.

VII Numbers

Masculine	Feminine	
один	одна́	(+ same case as following noun, e.g. одну́ бу́лочку).
два	две	
три		(+ genitive singular)
четы́ре		

TRANSLATE

1. One student.
2. Two passports.
3. Three towns.
4. Four tourists.

5. One guitar.
6. Please give me one roll.
7. Please give me two postcards.
8. Have you four stamps?

VIII Possessive Adjectives

SINGULAR

	Masculine	Feminine
Nominative	наш	на́ша
Accusative	наш	на́шу
Genitive	на́шего	на́шей

✗ *use* **go**

IX Verbs

	TYPE Ia	TYPE Ib	TYPE II
Infinitive:	рабо́тать	идти́	люби́ть
Present:	я рабо́таю	иду́	люблю́
	ты рабо́таешь	идёшь	лю́бишь
	он рабо́тает	идёт	лю́бит
	мы рабо́таем	идём	лю́бим
	вы рабо́таете	идёте	лю́бите
	они́ рабо́тают	*иду́т*	
other verbs of	слу́шать	сказа́ть	ви́деть (ви́жу, ви́дишь)
the same types:	чита́ть		
	ду́мать		говори́ть (говорю́, говори́шь)
	знать		
	игра́ть		
to have breakfast	- за́втракать		
to do	- де́лать		
to talk a walk	- гуля́ть		
Imperitives:	сади́тесь, да́йте, скажи́те, пойдём(-те)		

TRANSLATE:

1. I work in a library.
2. He works at home.
3. Do you work in Moscow?
4. Do you love Moscow?
5. Do you like coffee?
6. I am going to the theatre.
7. Let's go to your hotel.
8. A very good opera is on today.
*9. Tell me, do you play the guitar?
10. Do you like strolling in the park?
11. Would you like to go to a concert?
12. Please sit down, we are listening to the radio.

Playing an instrument takes a locotive case
Playing a game takes accusative case

11. Одиннадцатый урок

Диало́ги

I. *Boris, Misha and Nina outside the Bolshoi Theatre after the opera*

Бори́с: Очень хоро́шая о́пера. Как вы ду́маете, Ни́на?

Ни́на: Да, арти́сты Большо́го теа́тра о́чень хорошо́ игра́ют.

Бори́с: Я о́чень хочу́ купи́ть пласти́нку о́перы.

Ми́ша: То́лько э́то не одна́ пласти́нка, а четы́ре, Бори́с Петро́вич.

Бори́с: Четы́ре пласти́нки! Скажи́те, Ни́на, магази́ны ещё откры́ты?

Ни́на: Да, они́ откры́ты до восьми́. Что вы хоти́те купи́ть?

Бори́с: Я хочу́ купи́ть пода́рки для ма́мы и для Ва́ли.

Ни́на: Каки́е пода́рки?

Бори́с: Пласти́нки. Ма́ма о́чень лю́бит му́зыку.

[...] [...]рошо́. В ГУ́Ме мно́го пласти́нок. Я то́же хочу́ пойти́. Хочу́ купи́ть но́вую су́мку.

Ми́ша: Да, там мно́го су́мок. А я хочу́ посмотре́ть гита́ры в ГУ́Ме. Мо́жно купи́ть хоро́шие гита́ры в отде́ле недалеко́ от отде́ла грампласти́нок.

Бори́с: Так мы все хоти́м пойти́ в ГУМ. А э́то далеко́ от Большо́го теа́тра?

Ни́на: Нет, не о́чень далеко́. То́лько семь-во́семь мину́т. Пойдёмте!

II. *In the street on the way to GUM*

Ми́ша: Вы ви́дите, Бори́с Петро́вич, как москвичи́ гуля́ют?

Бори́с: Да, ви́жу. Но зна́ете, Ми́ша, они́ не все из Москвы́. Здесь гуля́ют тури́сты из А́нглии, из Аме́рики, да́же из Пеки́на. У нас в Ки́еве то́же мно́го тури́стов.

Ми́ша: Да, мы зна́ем, что ваш го́род краси́вый и интере́сный.

Бори́с: Да, у нас в Ки́еве мно́го па́рков, мно́го. . .

Ми́ша: А вы зна́ете, Бори́с Петро́вич, что в магази́не у вхо́да гости́ницы мо́жно купи́ть хоро́шие пода́рки.

Бори́с: Да, но там ма́ло пласти́нок. В ГУ́Ме мно́го пласти́нок, да?

Ми́ша: Да, в ГУ́Ме о́чень большо́й отде́л грампласти́нок. А каки́е пласти́нки вы хоти́те?

Бори́с: Для ма́мы класси́ческие, а для Ва́ли джаз. Она́ о́чень лю́бит джаз.

III. *Just outside GUM*

Бори́с: Вот ГУМ. Како́й большо́й магази́н! Вся Москва́ здесь!

Ни́на: Да, вот здесь у вхо́да отде́л чемода́нов и су́мок.

Ми́ша: Вот ви́дите, там хоро́шая су́мка.

Ни́на: Да, ничего́. Но вот здесь краси́вая су́мка! Ско́лько она́ сто́ит? Ах, как до́рого! Де́сять рубле́й![1] Пойдём в отде́л грампласти́нок.

Бори́с: Да, пойдём. А вот и отде́л. Ско́лько пласти́нок здесь! Где класси́ческие? А вот там. Де́вушка! О́пера «Евге́ний Оне́гин» у вас есть?

[1] The official exchange rate immediately after the floating of the pound (June 1972) was still approx. 2 roubles 15 kopecks to the £, although the rouble has generally been worth rather less than half this sum in real purchasing power.

Девушка: Сейча́с. Да, четы́ре пласти́нки. Вот, пожа́луйста. Это всё?
Бори́с: А кака́я у вас ещё есть му́зыка Чайко́вского?
Девушка: Вот конце́рт Чайко́вского. Игра́ет Дави́д Ойстрах. Хоти́те?
Бори́с: Да, пожа́луйста! Ско́лько с меня́?
Девушка: С вас семь рубле́й де́сять копе́ек.[1]

Слова́рь

купи́ть	to buy
(грам-)пласти́нка	gramophone record
магази́н	shop
до восьми́	until eight o'clock
пода́рок	present
для	for
ГУМ (Госуда́рственный Универса́льный Магази́н)	GUM (the State Universal Store)
мно́го	many
но́вый	new
отде́л	department
мы все хоти́м	we all want
семь- во́семь мину́т	seven or eight minutes
москви́ч	Muscovite
ма́ло	few
класси́ческий	
джаз	
вся Москва́	the whole of Moscow
до́рого	expensive, dear
де́сять рубле́й	ten roubles
вон	over there

Выраже́ния

мы хоти́м пойти́ в ГУМ	we want to go to GUM
семь-во́семь мину́т	seven or eight minutes
они́ не все из Москвы́	they are not all from Moscow
ско́лько она́ сто́ит?	how much does it cost?

---

[1] Gramophone records and musical instruments, like books, are very cheap in the Soviet Union.

Вопро́сы к те́ксту

Answer as if you were the person being addressed.

1. Каки́е пласти́нки вы хоти́те, Ни́на?
2. Скажи́те, пожа́луйста, магази́ны ещё откры́ты?
3. Каки́е пода́рки вы хоти́те купи́ть, Бори́с?
4. А что вы хоти́те, Ни́на?
5. Скажи́те, Ми́ша, до ГУ́Ма далеко́?
6. В Москве́ мно́го тури́стов?

7. Како́й у вас го́род, Бори́с?
8. Де́вушка! Скажи́те пожа́луйста, ско́лько сто́ит э́та су́мка?
9. У вас есть му́зыка Чайко́вского?
10. Ско́лько с меня́?

Граммати́ческие примеча́ния

A. *The Genitive Plural* of 'hard' masculine nouns is formed by adding - <u>ов</u> to the nominative singular form. Thus тури́ст becomes тури́стов, студе́нт becomes студе́нтов, etc. Nouns which end in - <u>ь</u>, <u>ж</u>, <u>ч</u>, <u>ш</u>, or <u>щ</u> always have the genitive plural in - <u>ей</u>. Thus рубль becomes рубле́й, москви́ч – москвиче́й, эта́ж – этаже́й.

   Мно́го (many), *ма́ло* (few) and numerals from 5 upwards are followed by the genitive plural except where the last element of the numeral ends in оди́н, два, три or четы́ре. In this case the rules governing numerals 1, 2, 3 and 4 apply, e.g. два́дцать оди́н журна́л (21 magazines)

   два́дцать две ко́мнаты (22 rooms)

   мно́го тури́стов (many tourists)

   ма́ло студе́нтов (few students).

   But два́дцать пять рубле́й,

B. <u>The genitive plural of feminine nouns</u> ending in - <u>а</u> and neuter nouns in - <u>о</u> is formed by the deletion of - <u>а</u> or - <u>о</u> from the word. Thus гости́ница becomes гости́ниц and библиоте́ка becomes библиоте́к. If there is an awkward combination of consonants at the end of a word - <u>о</u> or - <u>е</u> is inserted between the two consonants, e.g. су́мка becomes су́мок, бу́лочка becomes бу́лочек; письмо́ becomes пи́сем. Nouns ending in - <u>ия</u> or - <u>ие</u> have genitive plural in - <u>ий</u>; ста́нций, свида́ний.

C. <u>Adjectives in the nominative plural end in - ые or - ие</u>

Singular	*Plural*
Это хоро́ший рестора́н.	Я люблю́ *хоро́шие рестора́ны*
Это интере́сный журна́л.	Я люблю́ *интере́сные журна́лы.*
Это но́вый портфе́ль.	Я люблю́ *но́вые портфе́ли.*
Это класси́ческий конце́рт.	Я люблю́ *класси́ческие конце́рты.*

D. Adjectives in the nominative singular feminine end in - ая or - яя. You have already met feminine adjectives in -ая (see Lesson 7, Note B). e.g. Ну, о́чень хоро́шая о́пера . . .

   вече́рняя газе́та

E. *Откры́ты* is the plural of откры́т (fem. откры́та). Short adjectives are used only in the nominative case, and are usually the complement of the sentence, e.g. Магази́ны в Москве́ ещё откры́ты? 'Are the shops in Moscow still open?' (See Lesson 8, Note A.)

F. *Они́ игра́ют* (they play) is the third person plural of a type Ia (- ать) verb. You have now met all the forms of these verbs. (See Drill 13.)

G. Note that the English preposition *for* is translated in several ways depending on its precise meaning in the context. Three distinct uses are:

Я купи́л пода́рок *для* ма́мы [для + gen.] (I have bought a present for Mother)

Спаси́бо *за* прия́тный ве́чер [за + acc.] (Thanks for a pleasant evening)

Что вы хоти́те на за́втрак? [на + acc.] (What do you want for breakfast?)

waiting for, begging, taking care of — за

Упражне́ния

DRILL 1: *We want to buy presents for various people.*

Ма́ма.

Мы хотим купить подарки для мамы.

Ва́ля.

Мы хотим купить подарки для Вали.

(Борис, Нина, Миша, администратор, студент, студентка)

DRILL 2: *Double item substitution.*

Make new sentences by changing a different part of the sentence each time:

Мы . . . .

Мы хотим пойти в гостиницу.

. . . . театр.

Мы хотим пойти в театр.

Вы . . . .

Вы хотите пойти в театр.

(комната, я, квартира, мы, опера, я)

DRILL 3: *We have many...*

Сколько у вас грампластинок?

У нас много грампластинок.

Сколько у вас туристов?

У нас много туристов.

(сумок, журналов, телефонов, булочек, открыток)

DRILL 4:

Сколько у вас грампластинок?

У меня 8 грампластинок.

Сколько у вас сумок?

У меня 8 сумок.

(марок, комнат, открыток, минут, гитар)

DRILL 5:

У вас в Киеве есть театры?

Да, у нас много театров.

У вас в Киеве есть гостиницы?

Да, у нас много гостиниц.

(парки, рестораны, автобусы, библиотеки, туристы, студенты, магазины)

DRILL 6: *No, not many...*

В гостинице много туристов?

Нет, в гостинице мало туристов.

В магазине много пластинок?

Нет, в магазине мало пластинок.

(в городе/театров; в библиотеке/студентов; в квартире/спален; в буфете/девушек; в сумке/копеек; в опере/артистов; в ГУМе/гитар)

DRILL 7: *I like them.*

Это хороший ресторан.

Я люблю хорошие рестораны.

Это красивая опера.

Я люблю красивые оперы.

(интересный журнал, дорогая сумка, новый портфель, большая гостиница, классическая пластинка)

DRILL 8: *It's a very good one.*

Како́й э́то рестора́н?

Это о́чень хоро́ший рестора́н.

Каки́е э́то пласти́нки?

Это о́чень хоро́шие пласти́нки.

(гостиница, студентка, сумки)

DRILL 9:

Вот турист. А где багаж?

Вот багаж туриста.

Вот Борис. А где письмо?

Вот письмо Бориса.

(студент/портфель; администратор/журнал; товарищ/гитара)

DRILL 10:

Вот мама. А где письмо?

Вот письмо мамы.

Вот студентка. А где багаж?

Вот багаж студентки.

(девушка/сумка; Нина/журнал; Миша/гитара; гостиница/администратор)

DRILL 11: A mixture of the last two.

Вот Борис. А где багаж?

Вот багаж Бориса.

Вот студентка. А где письмо?

Вот письмо студентки.

(студент/портфель; девушка/сумка; администратор/журнал; Нина/журнал; Миша/гитара; гостиница/администратор)

DRILL 12: Everyone reads in the library.

Я . . . .

Я читаю в библиотеке.

Ты . . . . .

Ты читаешь в библиотеке.

(он, мы, вы, они)

DRILL 13: Giving lists of things.
Intonation practice.
Repeat:

Здесь гуляют туристы из Англии,
    из Америки, из Пекина.

У нас в Киеве гостиницы, парки,
    рестораны, театры.

В ГУМе много пластинок, сумок,
    чемоданов, гитар.

В квартире всё есть – телефон,
    радио, диван, кухня.

Борис Петрович хочет купить
    пластинки, журналы, сумку, подарки.

DRILL 14: Перевод (Translation drill).

1. Thank you for the music, Misha.
2. I am playing this for you, Nina.
3. Let's go and buy rolls for breakfast.
4. This is a good present for Valya.
5. One can buy a record for a rouble in Moscow.
6. Here is your ticket for the concert, Misha.

–Вот тебе подарок, –сувенир из Сочи.

–А тебе из Мурманска!

74

Песня

Я ПОЙДУ

Ме́дленно
C — G7 — C — G7

В ГУ-Ме я ку—плю́ по—да́р—ки; Я сей—ча́с ту—да́ пой—

Быстре́е F — G7 — C — F — G7 — C

ду́. Вот от—де́л наш «Грам-пла-сти́-нки»—все по—да́р—ки тут ку—плю́.

1. В ГУ́Ме я куплю́ пода́рки;
Я сейча́с туда́ пойду́.
Вот отде́л наш «Грампласти́нки» –
Все пода́рки тут куплю́.

2. Кра́сная пло́щадь так краси́ва:
Здесь гуля́ют москвичи́.
Ско́лько ве́чером наро́ду!
– Всё откры́то до восьми́.

ве́чером   in the evening

–Нет, нет! Хоро́ший магази́н! Знаешь, папа там купил
мне шоколад.

12. Двена́дцатый уро́к

Диало́ги

I. *Outside GUM*

Бори́с: Хорошо́, что я купи́л пода́рки для ма́мы и для Ва́ли и что вы то́же бы́ли здесь. Большо́е спаси́бо. Хоти́те, пойдём сейча́с в буфе́т вы́пьем пи́ва?

Ми́ша: Да, я то́же хоте́л сказа́ть, что хорошо́ бы́ло бы пойти́ в буфе́т. Как вы ду́маете, Ни́на?

Ни́на: Что? А я ду́мала о му́зыке Чайко́вского.

Ми́ша: О му́зыке Чайко́вского! Что вы говори́те, Ни́на? А я ду́мал, что вы всё ду́маете о су́мке!

Ни́на: Да, пра́вда, я о́чень хоте́ла купи́ть э́ту су́мку. Но она́ так до́рого сто́ила. Хорошо́. Пойдём. А куда́ вы хоте́ли пойти́?

Ми́ша: Мы хоти́м пить пи́во. Здесь, недалеко́ от ГУ́Ма есть буфе́т, где хоро́шее пи́во. Я уже́ был там.

Бори́с: Пойдём.

II. *Inside buffet*

Ми́ша: Вот наш буфе́т. Скажи́те пожа́луйста, здесь свобо́дно?

Челове́к: Да, свобо́дно.

Бори́с: Како́е вы лю́бите пи́во? Моско́вское и́ли ленингра́дское? Ни́на...

Ни́на: Я хоте́ла бы буты́лку лимона́да, пожа́луйста.

Бори́с: Как, лимона́да! Вы не хоти́те пи́ва?

Ни́на: Нет, я хоте́ла бы чита́ть сего́дня ве́чером. Нехорошо́ пить пи́во, когда́ на́до рабо́тать.

Бори́с: Да, э́то пра́вда. А вы Ми́ша?

Ми́ша: Я хоте́л бы, пожа́луйста, буты́лку моско́вского.

III. *Boris Petrovich goes over to counter*

Бори́с: Де́вушка, да́йте нам две буты́лки моско́вского пи́ва и одну́ буты́лку лимона́да. Спаси́бо. Вот ва́ша буты́лка, Ни́на; а вот пи́во для вас, Ми́ша.

Ми́ша: Спаси́бо. За ва́ше здоро́вье!

Бори́с: За ва́ше здоро́вье!

Ми́ша: Како́е хоро́шее пи́во! Как я хоте́л пить!

Бори́с: Да, пи́во хоро́шее. А вы бы́ли здесь мно́го раз, Ми́ша?

Ми́ша: Да, я здесь был мно́го раз.

Ни́на: Вот како́й вы, Ми́ша! А когда́ вы рабо́таете?

Ми́ша: Я то́же рабо́таю, Ни́на. Но не на́до ду́мать всегда́ то́лько о рабо́те.

Бори́с: Да, рабо́тать хорошо́, но гуля́ть и пить то́же на́до.

Ми́ша: Ви́дите, Ни́на, э́то не то, что вы сказа́ли сего́дня у́тром!

Ни́на: А что я сказа́ла?

Ми́ша: Вы сказа́ли, ка́жется, что гуля́ть прия́тно, но рабо́тать то́же на́до.

Слова́рь

пить/вы́пить	to drink	бутьı́лка	bottle
пи́во	beer	сего́дня ве́чером/у́тром	this evening /morning
сказа́ть	to say	не на́до	one must not
свобо́дно	free, unoccupied	я хоте́л (-а) бы	I would like
был(-а́)	was	за ва́ше здоро́вье!	your health!
моско́вский			
ленингра́дский			

Выраже́ния

хорошо́ бы́ло бы	it would be good to
хоти́те, пойдём?	would you like (us) to go?
всё	all the time
вы всё ду́маете о су́мке	all time you are thinking about the bag
не на́до	one must not
здесь свобо́дно?	is this vacant (free)?
за ва́ше здоро́вье!	cheers! your health!
мно́го раз	many times
э́то не то, что вы сказа́ли	that's not what you said

Граммати́ческие примеча́ния

A. The past tense of the verb is formed by replacing -ть of the infinitive with -л, -ла, -ло or -ли, depending on whether the noun is masculine, feminine or neuter singular, or plural (same for all three genders).

   Notice that when Nina is speaking in the first person she says 'Я купи́ла' and when Misha is speaking he uses the masculine form 'Я купи́л'. If the subject is *вы*, the plural must always be used, even if the subject is one person only.

   The past tense of the verb *бытъ* (to be) is regular: был, была́, бы́ло, бы́ли.

B. The conditional is formed very simply by the use of *бы* with the past tense of the verb, e.g. Хорошо́ бы́ло бы пойти́ (it would be good (nice) to go), Я хоте́л бы … (I should like …)

C. The genitive case on its own, besides being the possessive case (see Lesson 6), is also used where the English would be 'some', i.e. Я хоте́л бы вы́пить пи́ва (I should like to drink some beer). This is called the partitive use of the genitive, e.g. Хоти́те лемона́да? (Do you want some lemonade?) Хоти́те пи́ва? (Do you want some beer?)

D. The neuter singular form of the adjective ends in -ое or -ее, e.g. Вы хоти́те моско́вское и́ли ленингра́дское пи́во? (Do you want Moscow or Leningrad beer?); Это пи́во хоро́шее (This beer is good).

Same in accusative

neuter nouns are same in nominative + accusative

Вопро́сы к те́ксту

1. Кто купи́л пода́рки для ма́мы и для Ва́ли?
2. Ми́ша ду́мает, что бы́ло бы хорошо́ пойти́ в буфе́т?
3. Что Ни́на хоте́ла бы купи́ть в ГУМе?
4. Она́ купи́ла су́мку?
5. Что Ми́ша купи́л в ГУМе?
6. Где буфе́т?
7. Что Ни́на хоте́ла в буфе́те?
8. Како́е пи́во Ми́ша хоте́л?
9. Ми́ша хоте́л пить?
10. Он пил там мно́го раз?

Упражне́ния

DRILL 1: *Yes, many a time.*
Ни́на ча́сто рабо́тает в библиоте́ке?
Да, она́ рабо́тала там мно́го раз.

Бори́с Петро́вич ча́сто за́втракает в буфе́те?
Да, он за́втракал там мно́го раз.

(тури́ст/гуля́ет в па́рке; арти́ст/игра́ет в теа́тре; Ми́ша/за́втракает в рестора́не; Ни́на/рабо́тает в университе́те).

DRILL 2: Contextual drill (use the most appropriate verb for the situation).
Ни́на была́ в библиоте́ке?
Да, она́ там чита́ла.

Бори́с Петро́вич был в буфе́те?
Да, он там за́втракал.

(Тури́ст был в па́рке? Ми́ша был в рестора́не? Ни́на была́ в университе́те? Студе́нтка была́ на конце́рте?)

DRILL 3:
Скажи́те, Ми́ша, вы бы́ли в Ки́еве?
Да, я был там мно́го раз.

Скажи́те, Ни́на, вы бы́ли в Ки́еве?
Да, я была́ там мно́го раз.

(Бори́с Петро́вич, де́вушка, това́рищ, ма́ма, Ва́ля, това́рищи)

DRILL 4: *No, not here now; but was with me this morning.*
Скажи́те, Ми́ша, Бори́с Петро́вич сейча́с у вас?
Нет, но он был у меня́ сего́дня у́тром.

Скажи́те, Ми́ша, Ни́на сейча́с у вас?
Нет, но она́ была́ у меня́ сего́дня у́тром.

(тури́ст, де́вушка, студе́нт, Ва́ля, Ва́ня, ма́ма, арти́ст, студе́нтка)

DRILL 5: Substitution drill.
(*чита́ть журна́л*) Ми́ша, что вы де́лали сего́дня?
Утром я чита́л журна́л, а ве́чером я был в теа́тре.

(*рабо́тать*) Ни́на, что вы де́лали сего́дня?
Утром я рабо́тала, а ве́чером я была́ в теа́тре.

(Ми́ша/слу́шать ра́дио; Ни́на/игра́ть на гита́ре; Ми́ша/купи́ть пода́рки; Ни́на/позавтра́кать в буфе́те; Ми́ша/пить пи́во)

DRILL 6: *I should have liked to buy some presents, but all the shops are shut.*
Ни́на, вы хоти́те купи́ть пода́рки?
Я хоте́ла бы, но все магази́ны закры́ты.

Ми́ша, вы хоти́те купи́ть пода́рки?
Я хоте́л бы, но все магази́ны закры́ты.

(Ва́ля, това́рищ, Бори́с Петро́вич, де́вушка)

DRILL 7:
Пойдём в буфе́т. Там прия́тно.
Да, бы́ло бы прия́тно в буфе́те.

Пойдём в теа́тр. Там хорошо́.
Да, бы́ло бы хорошо́ в теа́тре.

(парк/хорошо́; библиоте́ка/интере́сно; гости́ница/хорошо́; рестора́н/прия́тно; го́род/интере́сно)

Ва́ня - masculine always

DRILL 8:

Этот лимонад хороший. А ваше пиво?
Пиво тоже хорошее.

Этот лимонад хороший. А ваша булочка?
Булочка тоже хорошая.

(чай, фрукты, булочки)

DRILL 9: *So that's what you're like.*
(a) Show some surprise and a playful kind of
reproachfulness.

Repeat:
Вот какой вы, Миша!
Вот какая вы, Нина!
(Борис Петрович, Иван Петрович, мама)

(b) This time show strong approval.
Repeat:
Вот какой лимонад!
Вот какая музыка!

(ресторан, бутылка, пиво)

Пе́сня

Я ПОЙДУ́

3. Зна́ю здесь буфе́т хоро́ший,
   Вы́пить пи́ва я о́чень рад.
   На́ша Ни́на до рабо́ты
   То́лько вы́пьет лимона́д.

4. Пи́во моско́вское пью сего́дня,
   Чай да ко́фе пил вчера́;
   За́втра полбуты́лки во́дки
   За ва́ше здоро́вье вы́пью я!

лишь	only
пью	I am drinking
вчера	yesterday
полбутылки	half a bottle
завтра	tomorrow

Что? Работать надо?
Так иди на работу—
но выпей шампанское!

шампа́нское champagne

Текст для чтения

ТРАГЕДИЯ

У меня, знаете, трагедия дома. Мы все очень любим музыку. Я, и Зинаида Васильевна, и Вася, и Лизочка. Все.

Вы не видите, где тут трагедия? Слушайте. *— don't see where it is, tighter*

Эта музыка мне стоит очень дорого. Мой любимый композитор Чайковский. Иду сегодня в ГУМ. Там можно купить классические пластинки: концерт номер один, оперу «Евгений Онегин». Всё есть! Иду и вижу новую пластинку. Это ария Германна из «Пиковой дамы». Недорого. Рубль тридцать копеек.

Вот я дома. В столовой у нас проигрыватель. Слушаю новую пластинку. Чудно! *marvellous*

А это кто? Ах, это Зинаида Васильевна! Она говорит.

— Володя, идём в ГУМ! Я слышала сегодня, что там есть новые гитары. Из Горького. Ты знаешь, я хочу купить гитару. Я хорошо играю на гитаре, а гитары у меня нет.

Это правда. Зинаида Васильевна очень любит музыку.

Идём. Гитара ничего, хорошая.

— Сколько с меня? Десять рублей? Это недорого. Вот десять рублей, Зинаида Васильевна.

— Чудно! — она говорит, — Наконец. Спасибо, Володя.

Идём домой. Зинаида Васильевна рада и играет в столовой на гитаре. Хорошо играет.

А это кто? Это Вася идёт из университета.

— Здравствуй, мама! Здравствуй, папа! Знаете, иду я сегодня по улице и вижу новый магазин. Там новое радио. Транзистор. Папа, мама, дорогие, я хочу транзистор в подарок. Я так люблю джаз! И недорого, папа! Идём, пожалуйста!

Идём в новый магазин. Хороший транзистор. Из Риги.

— Сколько с меня?

Недорого, одиннадцать рублей. Вася рад. Мне приятно. *nice* *m'apecccel*

А это кто? Ах, это Лизочка! Она очень любит музыку.

— Здравствуйте, мама и папа! Вася — привет! Знаете, у нас в библиотеке выставка. Книги о музыке. Папа, я хочу купить книгу о Шостаковиче. Он мой любимый композитор. И недорого стоит, только десять рублей семь копеек. Папа, дорогой, пожалуйста!

Вы думаете, это не трагедия? У меня теперь новая пластинка. У Зинаиды Васильевны гитара. У Васи транзистор.

Но у Лизочки нет книги о Шостаковиче. Эту книгу надо купить!

Но у меня больше нет денег!

трагедия	tragedy	наконец	at last
любимый	favourite	папа	daddy
композитор	composer	транзистор	transistor radio
ария	aria	одиннадцать	eleven
пиковая дама	queen of spades	выставка	exhibition
проигрыватель	record-player	больше нет	no more
чудно	marvellous	деньги	money
слышать	to hear	теперь	now

столовая — ~~Diang~~ dining room

идём — let's go (right away)
пойдём — let's go (sometime)

Comprehension questions: multiple choice

1. Папа слушает дома

A концерт Чайковского.
B трагедию Шекспира.
C арию Германна.
D джаз.

2. Мама хочет идти в ГУМ, потому что

A проигрыватель в столовой.
B она хочет купить гитару.
C Вася идёт из университета.
D её любимый композитор Чайковский.

3. Вася видит в новом магазине

A проигрыватель.
B гитару
C пластинку.
D транзистор.

4. У папы трагедия, потому что

A Лизочка музыкальная девушка.
B любимый композитор девушки не Чайковский, а Шостакович.
C у папы больше нет денег.
D книга недорого стоит.

13. Тринадцатый урок

Диалоги

I. *8.15 p.m. Telephone rings in Boris Petrovich's hotel room*

Борис: Алло́. Я слу́шаю. Это кто?

Ва́ля: Это я, Ва́ля.

Борис: Ва́ля! Вы говори́те из Ки́ева? Как вы поживае́те?

Ва́ля: Хорошо́, спаси́бо. Я ви́дела ва́шу ма́му в па́рке. Она́ сказа́ла, что мо́жно позвони́ть вам по́сле восьми́ часо́в. Она́ мне дала́ но́мер ва́шего телефо́на.

Борис: Как поживае́т ма́ма?

Ва́ля: Она́ здоро́ва. Она́ мно́го раз была́ у нас в буфе́те, и я не зна́ла, что она́ ва́ша ма́ма.

Борис: Сего́дня у́тром я чита́л письмо́ от ма́мы. Она́ писа́ла, что ви́дела вас и ви́дела мою́ фотогра́фию.

Ва́ля: А, ва́ша фотогра́фия! Да, моя́ су́мка была́ откры́та. Она́ уви́дела фотогра́фию и узна́ла, что я вас зна́ю.

II.

Ва́ля: А что вы де́лали сего́дня?

Борис: У меня́ был о́чень интере́сный день. У́тром я о́чень по́здно за́втракал. Уже́ бы́ло де́сять часо́в. По́сле за́втрака гуля́л и в три часа́ я был в Большо́м теа́тре.

Ва́ля: Что вы ви́дели в Большо́м теа́тре?

Борис: Мы слу́шали о́перу «Евге́ний Оне́гин».

Ва́ля: Мы? Кто э́то «мы»? Кого́ вы зна́ете в Москве́?

Борис: Кого́? Я уже́ зна́ю одного́ студе́нта, Ми́шу из МГУ[1]. Вчера́ ве́чером я был до́ма у э́того студе́нта. Ми́ша о́чень хорошо́ игра́ет на гита́ре. Там то́же была́ одна́ студе́нтка, Ни́на.

Ва́ля: А! И студе́нтку зна́ете! Она́ краси́вая?

Борис: Да, она́ краси́вая, но не така́я краси́вая, как вы. Она́ о́чень серьёзная и говори́т то́лько о рабо́те.

Ва́ля: Вы то́же мно́го говори́те о рабо́те, Бори́с Петро́вич!

Борис: Это в Ки́еве, но здесь в Москве́ я то́лько тури́ст. Гуля́ю и отдыха́ю.

Ва́ля: Вы гуля́ете в Москве́ и забы́ли о нас.

Борис: Что вы, Ва́ля! Я сего́дня ве́чером по́сле о́перы был в ГУМе, купи́л пода́рки для вас и для ма́мы.

Ва́ля: Ой, как хорошо́! А что вы купи́ли?

Борис: Я не скажу́. Подожди́те – уви́дите.

Ва́ля: Хорошо́, подожду́. Но я ра́да узна́ть, что вы не забы́ли нас. (pips ...)

Борис: Ну вот, Ва́ля, уже́ пора́. До свида́ния и споко́йной но́чи.

Ва́ля: Споко́йной но́чи.

---

[1] Моско́вский госуда́рственный университе́т – Moscow State University

Слова́рь

позвони́ть	to phone	вчера́ ве́чером	yesterday evening
дала́	she gave	серьёзный	serious
здоро́в(•а)	healthy, well	отдыха́ть	to rest
узна́ла	she found out	потому́ что	because
день	day	кого́	whom
у́тром	in the morning		

Выраже́ния

как пожива́ет ма́ма?	how is my mother?	подожди́те – уви́дите	wait and see
как вы пожива́ете?	how are you?	пора́	it's time
вы забы́ли нас	you have forgotten us	споко́йной но́чи	good night

Вопро́сы к те́ксту

1. Кто позвони́л из Ки́ева?
2. Кого́ она́ ви́дела в Ки́еве?
3. Как пожива́ет ма́ма?
4. Что она́ дала́ Ва́ле?
5. Что ма́ма уви́дела в су́мке?

6. Что Бори́с де́лал сего́дня?
7. У кого́ он был вчера́ ве́чером?
8. Кто игра́ет на гита́ре?
9. Что де́лает Ни́на?
10. Ни́на така́я краси́вая, как Ва́ля?

Грамма́ти́ческие примеча́ния

A. When Russians want to emphasise the completion of an action or express a single completed event in the past tense they use a perfective verb. Contrast these two sentences:

— Она́ писа́ла, что *ви́дела* вас и *ви́дела* мою́ фотогра́фию.

— Да, она́ *уви́дела* фотогра́фию.

In the second sentence there is an indication that the action has been completed. The actual event is being emphasised: 'She spotted the photograph', or 'She caught sight of the photograph'.

Other pairs of imperfect and perfective verbs are as follows:

IMP.	PER.
гуля́ть	погуля́ть
за́втракать	поза́втракать
звони́ть	позвони́ть
говори́ть	сказа́ть

знать узнать

to speak, to say

The most common method of forming a perfective verb is to add a prefix such as по– or у– to the imperfective form of the verb. Occasionally a verb has completely different roots in its imperfective and perfective forms, as in говори́ть/сказа́ть. You are not expected to master this concept at this stage of the course, but it will help you to master it later if you are able to recognise perfectives when they occur.

Only imperfective verbs express present tense

B. There is a distinction in Russian between _animate_ nouns (persons and animals) and _inanimate_ nouns (things and abstract concepts).

  Feminine nouns have a special accusative form in - y or -ю (Ни́на → Ни́ну; Ва́ля → Ва́лю), so in the singular the distinction between nominative and accusative (i.e. between subject and object of the verb) is quite clear,

  e.g. Я зна́ю де́вушку

  Я ви́дел Ва́лю.

  Animate nouns of masculine gender have the same form in the accusative as in the genitive,

  e.g. Я ви́дел э́того студе́нта. (animate)

  Я ви́дел э́тот чемода́н. (inanimate) — nominative

  In the plural both masculine and feminine _animate_ nouns have an accusative like the genitive,

  e.g. Я ви́дел э́тих студе́нтов.

  Я ви́дел э́тих де́вушек.

C. _По́сле_ (after) is another preposition which is followed by the genitive case.

D. Notice that the locative case of мы is _нас_: Вы гуля́ете в Москве́ и забы́ли о нас (You are having a good time in Moscow and have forgotten about us). The forms for the accusative and the locative are the same with the pronouns мы and вы. Thus in Вы забы́ли нас (You have forgotten us) is a use of the accusative case. Similarly the accusative of вы is _вас_ and the locative is _вас_.

Упражне́ния

DRILL 1: _Quite well, thank you._

Как поживает мама?

Спасибо, она здорова.

Как поживает Борис Петрович?

Спасибо, он здоров.

(Валя, девушка, студент, студентка, турист, ваш товарищ)

DRILL 2: _In your room._

Где моя гитара?

Я видел вашу гитару у вас в комнате.

Где мой чемодан?

Я видел ваш чемодан у вас в комнате.

(паспорт, мама, журнал, портфель, пластинка, подарок)

DRILL 3:

Сегодня артист играет в театре. Что он делал вчера?

Вчера он тоже играл в театре.

Сегодня Миша завтракает в буфете. Что он делал вчера?

Вчера он тоже завтракал в буфете.

(Нина читает в библиотеке; студент работает в университете; мама работает на кухне; студент играет на гитаре; Валя гуляет в парке; турист отдыхает в комнате; Борис Петрович думает о Вале)

DRILL 4:

Валя красивая девушка. А Нина?

Нина не такая красивая, как Валя.

Москва большой город. А Киев?

Киев не такой большой, как Москва.

(Миша серьёзний студент. А Борис? Нина хорошая студентка. А Валя?)

DRILL 5:

(a) Repeat:

Сегодня была опера.

После оперы я отдыхал.

Сегодня был концерт.

После концерта я отдыхал.

(завтрак, работа)

(b) Now you try:

(Items as for Drill 5a)

DRILL 6: *You already know him then!*

Вчера у меня в гостинице был Иван.

А! Вы уже знаете Ивана!

Вчера у меня в гостинице был Борис.

А! Вы уже знаете Бориса!

(Борис Петрович, Давид Ойстрах)

DRILL 7: As for Drill 6

Some masculine, some feminine.

Вчера у меня в гостинице была студентка.

А! Вы уже знаете студентку!

Вчера у меня в гостинице был Миша.

А! Вы уже знаете Мишу!

(девушка, Нина, Ваня, Боря)

DRILL 8: As for Drills 6 and 7 mixed

(студентка, турист, студент, девушка, Миша, Борис Петрович, Нина)

DRILL 9: *Yes, I saw some there*

Студенты были в театре?

Да. Я там видел студентов.

Девушки были в театре?

Да. Я там видел девушек.

(туристы, артисты, студентки)

DRILL 10: *No, telephone before, not afterwards.*

Можно позвонить вам после концерта?

Нет, позвоните нам до концерта.

Можно позвонить вам после оперы?

Нет, позвоните нам до оперы.

(завтрак, работа, 8 часов)

DRILL 11. **Everyone was resting after breakfast.**

После завтрака я отдыхал в комнате.

(Нина) После завтрака Нина отдыхала в комнате.

(Борис Петрович, Валя, студентка, студент, турист)

DRILL 12. *Is that what you'd like, then, Nina?*

Вот хорошая булочка.

Что Нина, хотите булочку?

Вот хороший чай.

Что Нина, хотите чай?

(журнал, фрукты, пластинка, портфель, лимонад, гитара)

DRILL 13. *Well, it's time now.*

Intonation practice. Repeat.

Ну вот, Миша, уже пора!

Ну вот, Нина, уже пора!

Ну вот, Борис Петрович, уже пора!

Ну вот, товарищи, уже пора!

Ну вот, Валя, уже пора!

Ну вот, девушки, уже пора!

Песня

Я ПИСЬМО́ ОТ МА́МЫ

Гру́стно

Я пись — мо́ от ма́ — мы в Ки́ — е — ве чи — та́л: Го — во — ри́т о — на́, что

я ни — че — го́ не ска — за́л, Что бы — ла о — на́ в бу — фе́ — те «У — кра — и́ — на»,

В су́м — ке мо — е́й Ва́ — ли у ви́ — де — ла фо — то — гра́ — фи — ю э́ — то я ей дал.

1. Я письмо́ от ма́мы в Ки́еве чита́л:
   Говори́т она́, что я ничего́ не сказа́л,
   Что была́ она́ в буфе́те «Украи́на»,
   В су́мке мое́й Ва́ли уви́дела
   Фотогра́фию — э́то я ей дал.

2. Утром я пода́рки в ГУМе Ва́ле купи́л,
   Что́бы де́вушка зна́ла, кого́ я люби́л.
   Ва́ля ве́чером позвони́ла из Со́чи
   Мне сказа́ть: «Споко́йной но́чи»,
   А я об опере всё ей говори́л!

ей – to her (dative case)
чтобы – in order that

Вчера вечером наверху играл джаз !
Наверху́   upstairs

14. Четы́рнадцатый уро́к

Диало́ги

I. *Morning. Boris Petrovich gets out of bed*

Бори́с: Уже́ де́вять часо́в! Как жа́рко сего́дня! Хорошо́ бы́ло бы пойти́ в душеву́ю[1] до за́втрака, то́лько не зна́ю, где душева́я. (opens door, walks down corridor. To maid) Де́вушка, скажи́те, пожа́луйста, где здесь душева́я?

Де́вушка: Душева́я на второ́м этаже́. Но она́ откры́та то́лько с девяти́.

Бори́с: С девяти́? Но уже́ де́вять! Зна́чит, уже́ откры́та. Ну что ж, пойду́ туда́. Где лифт?

Де́вушка: Вот там лифт: да́льше по коридо́ру.

Бори́с: Спаси́бо. А вот он. Не рабо́тает: ремо́нт идёт. Зна́чит, на́до идти́ пешко́м на второ́й эта́ж, и в тако́й жа́ркий день! Но что де́лать: на́до так на́до!

Бори́с: Вот душева́я! (to old woman in charge) Здра́вствуйте! Душева́я рабо́тает?

Де́вушка: Рабо́тает.

Бори́с: (to himself) Здесь никого́ нет. Зна́чит ещё ра́но. Душева́я больша́я, хоро́шая, а все места́ свобо́дные. Как же э́то? (Turns on shower) Брр... кака́я холо́дная вода́! Ничего́, подожду́... Нет, что-то не то. Где тёплая вода́? Нет, не идёт. (to woman in charge) Мо́жно вас на мину́ту. Скажи́те пожа́луйста: вы говори́ли, что душева́я рабо́тает, а тёплая вода́ не идёт.

Де́вушка: Не идёт. Здесь у нас ремо́нт. Но есть холо́дная вода́.

Бори́с: Холо́дная, но мне нужна́ тёплая! Безобра́зие!

Де́вушка: Что же де́лать, това́рищ? Ремо́нт так ремо́нт.

II. *At bottom of stairs meets Misha*

Ми́ша: Здра́вствуйте, Бори́с Петро́вич! Како́й жа́ркий день сего́дня!

Бори́с: День жа́ркий, но мне хо́лодно.

Ми́ша: Хо́лодно? Как же так?

Бори́с: Да. Я был в душево́й, а там то́лько холо́дная вода́. Говоря́т: ремо́нт.

Ми́ша: Я ви́дел, что лифт то́же не идёт.

Бори́с: Да ви́дите, вся гости́ница на ремо́нте.

Ми́ша: Вы зна́ете, что сего́дня интере́сный футбо́льный матч. Вы лю́бите футбо́л?

Бори́с: Да, люблю́, а кто игра́ет?

Ми́ша: Торпе́до (Москва́) и Дина́мо (Ки́ев). Хоти́те, пойдём?

Бори́с: У вас есть биле́ты?

Ми́ша: Нет, но я зна́ю кио́ск, где мо́жно взять биле́ты.

Бори́с: Хорошо́, вот де́ньги. Ско́лько сто́ит оди́н биле́т?

Ми́ша: Рубль.

Бори́с: Вот вам два рубля́. Возьми́те два биле́та, пожа́луйста.

Ми́ша: Хорошо́, я пойду́ возьму́. Матч ве́чером в шесть часо́в.

Бори́с: Ну, пока́, до свида́ния.

Ми́ша: Всего́ хоро́шего.

---

[1] душева́я (from душ – shower) Russians have an aversion to washing or bathing in other than running water. In many hotels only a few of the most expensive rooms for foreign visitors have baths. Most Russian guests prefer to use a communal shower-room. Wash basins, too, usually have a spray-type tap and no plug.

[2] 'Second floor' in Russian = English first floor.   пе́рвый эта́ж = English ground floor, etc.

Слова́рь

де́вять	nine		холо́дный	cold
жа́рко	hot (it is hot)		вода́	water
душева́я	shower-room		тёплый	warm
лифт	lift		сканда́л	scandal
да́льше	further		де́ньги	money
ремо́нт	repairs		шесть	six
футбо́льный матч	football match		пока́	until then
ра́но	early		взять	to get, take
ме́сто	place			

→ I'll wait

Выраже́ния

на второ́м этаже́	on the first floor
да́льше по коридо́ру	further along the corridor
зна́чит	so (that means)
но что де́лать?	what (else) can one do?
здесь никого́ нет	there's no-one here
на́до так на́до	if one has to, that's all there is to it
все места́ свобо́дные	all the places are vacant
что–то не то	something's wrong
мне нужна́ тёплая (вода́)	I need warm (water)
безобра́зие	disgraceful
мне хо́лодно	I'm cold
как же так?	how can it be so?
вот вам два рубля́	here are two roubles for you
я пойду́ возьму́ биле́ты	I'll go and get the tickets
пока́	cheerio for now

Вопро́сы к те́ксту

1. Де́вушка, душева́я откры́та?
2. Скажи́те, Бори́с, лифт рабо́тает?
3. На каќо́м этаже́ душева́я?
4. В душево́й тёплая вода́?
5. Скажи́те пожа́луйста, есть свобо́дные места́ в душево́й?
6. Скажи́те, Бори́с, вам жа́рко сего́дня?
7. Вы лю́бите футбо́л?
8. Ско́лько сто́ит оди́н биле́т?
9. Ми́ша, скажи́те пожа́луйста, когда́ матч?
10. Кто игра́ет?

Граммати́ческие примеча́ния

A. Boris says Мне хо́лодно. This is a favourite Russian way of saying 'I'm cold'. It is a combination of the dative of the noun or pronoun and the short neuter form of the adjective. (See Drill 1.)

B. Some nouns behave like adjectives. Two examples of this are душева́я (shower-room), столо́вая (dining-room, cafeteria). Душева́я is short for душева́я ко́мната, where the noun ко́мната is feminine, but is nearly always omitted. The locative of душева́я is в душево́й. Thus the locative singular feminine of an adjective always ends in -ой or -ей, (в хоро́шей гости́нице; в краси́вой ко́мнате; в холо́дной душево́й)

C. In the previous lesson you had в Большо́м теа́тре (in the Bolshoi Theatre). This is an example of the locative case of the masculine adjective, which ends in -ом or -ем (в хоро́шем теа́тре).

D. С девяти́ means 'from nine (o'clock)' Earlier we met с восьми́ (from eight o'clock). Numerals from five upwards have a genitive in -и; in the case of восьми́, the е of во́семь has been dropped.

E. Another expression of time used in this lesson is в тако́й жа́ркий день (on such a hot day). Similarly в э́тот день (on that day). В + accusative in each case.

F. You will remember from earlier lessons the expression Что идёт в Большо́м теа́тре? (What's on at the Bolshoi Theatre?) In this lesson we have the verb идти́ (to go) in a variety of figurative uses: Идёт ремо́нт (Repairs are taking place), Тёплая вода́ не идёт (The hot-water's not working), Лифт не идёт (The lift's not working). In yet another sense: Вот идёт авто́бус (Look, the bus is coming).
   The verb идти́ has many uses beyond its basic meaning 'to go'.

G. The verb взять – to take, get, has an irregular perfective future (see Lesson 17, Note C):

я возьму́	мы возьмём
ты возьмёшь	вы возьмёте
он возьмёт	они возьму́т

imperative: возьми́ – возми́те

Упражне́ния

DRILL 1:
Како́й жа́ркий день!
Да, мне здесь о́чень жа́рко.
Како́й холо́дный день!
Да, мне здесь о́чень хо́лодно.
(прия́тный, интере́сный, хоро́ший)

DRILL 2: *Yes, we were at this theatre yesterday.*
Вы ви́дели наш хоро́ший теа́тр?
Да, вчера́ мы бы́ли в э́том хоро́шем теа́тре.

Вы ви́дели наш Большо́й теа́тре.
Да, вчера́ мы бы́ли в э́том Большо́м теа́тре.
(интере́сный, прия́тный, краси́вый)

DRILL 3: *How much does it cost?*
Я хочу́ купи́ть портфе́ль.
Ско́лько стоит э́тот портфе́ль?
Я хочу́ купи́ть су́мку.
Ско́лько стоит э́та су́мка?
(биле́т, лимона́д, откры́тку, пласти́нку, чемода́н, гита́ру, ко́фе, ма́рку, бу́лочку)

DRILL 4: *I've only got one rouble, two roubles, etc.*

Repetition:

У вас есть деньги?

У меня только рубль.

У вас есть деньги?

У меня только два рубля.

(три рубля, четыре рубля)

DRILL 5: Like the previous drill, but you provide the responses.

(Items as for Drill 4)

DRILL 6: *Yes, but it's only open from 9.00 o'clock onwards.*

Душевая на втором этаже, да?

Да, но она открыта только с девяти.

Буфет на втором этаже, да?

Да, но он открыт только с девяти.

(ресторан, комната, театр, библиотека, киоск)

DRILL 7: *Thanks, but I only need one.*

Вот вам две открытки

Спасибо, но мне нужна только одна.

Вот вам две булочки.

Спасибо, но мне нужна только одна.

(марки, сумки, гитары, пластинки, комнаты, спа́льни)

DRILL 8: *Waitress, there are lots of us. Bring us another bottle of champagne.* (шампа́нское)

Increase number by one each time.

Девушка, нас много!

Дайте нам ещё одну бутылку шампанского.

Девушка, нас много!

Дайте нам ещё две бутылки шампанского.

(3, 4, 5, 6)

DRILL 9:

Это вы хотите салат?

Да, салат для нас.

Это девушка хочет салат?

Да, салат для девушки.

салат – salad

(Тамара, мы, Борис Петрович, девушка, администратор, Нина)

DRILL 10: *Let's drink to that!*

Note the characteristic intonation.

(Москва)

Выпьем за Москву!

(Киев)

Выпьем за Киев!

(краси́вая девушка, Лондон, наша дружба, ваша мама, наша гитара, наши парки, ваше здоровье)

дружба – friendship

–Алло, бюро ремонта?

Пéспя

Я ПИСЬМÓ ОТ МÁМЫ

3. Жáрко мне, так я до зáвтрака идý
   В душевýю, – э́то где-то наверхý.
   Ремóнт идёт, ну вот досáда!
   Я пойдý? Эх, нáдо так нáдо,
   А в душевóй я тёплую вóду жду.

4. Я вчерá на стадиóн-Динáмо пошёл.
   Мúша нам купúл билéты на футбóл;
   Он сказáл, что в шесть часóв поéдем,
   Бýдет матч Динáмо-Торпéдо,
   Посмóтрим, кто забьёт там пéрвый гол.

гдé-то наверхý	somewhere upstairs
ну вот досáда	well, that's annoying
стадиóн	stadium
матч	match

бýдет	(there) will be
я жду	I wait
кто забьёт	who would score
пéрвый гол	the first goal

Текст для чтéния

МАКИНТÓШ

Семён Саблин был на улице и не знал, что делать. И Ольга и он были в Москве уже три дня и надо было ехать домой в Курск.

Утром они позавтракали в гостинице, после завтрака пошли в магазины купить подарки. Ольга купила сумку для мамы и не забыла тоже о его сестре Нюре.

Они узнали, в котором часу идёт поезд, потом пошли в ресторан. Семён там выпил бутылку ленинградского пива и заказал лимонад для Ольги. Потом Ольга попросила его подождать.

Ей надо было позвонить их другу, Кузьмину. Она узнала, где телефон, и сказала:

– Иди купить журнал на дорогу!

– Хорошо, – ответил Семён, – ты пока позвони, я подожду на ýлице.

Он ждал уже час. Ольги нé было. Пошёл в ресторан, где пил пиво. Ольги нет. Посмотрел в телефонную будку. И там Ольги нет! Где-же она?

«Который час?» подумал Саблин. Было уже одиннадцать. От гостиницы до вокзала далеко. Поезд в Курск идёт в час. Он позвонил в гостиницу. Нет, Ольги там тоже не было. Что делать? Ну серьёзно, что делать?

Ах, да! Ольга пошла позвонить Кузьмину. Надо ему позвонить и узнать, что она сказала.

Саблин быстро пошёл в будку и набрал номер.

– Кузьмин? Иван Петрович? Здравствуйте, тут Саблин. Ольга звонила вам. Да? Я хотел бы знать, где она. Нам надо сегодня ехать в Курск, а я, как дурак, один на улице и не знаю, где она. Что? Что она узнала от вас? Что в ГУМ пришли английские макинтоши? Ну, спасибо. Привет.

Саблин был снова на улице. Наконец* он увидел Ольгу. У неё был большой пакет.

– Где ты была? сказал Саблин. – Я тут не знал, что делать, звонил в гостиницу, был в ресторане, звонил Кузьмину.

– Видишь, Семён, вчера вечером, когда мы были у них в квартире и ты и Кузьмин пили пиво, я сказала Кузьминой: «Знаете, мы завтра едем домой в Курск. Я хотела бы купить в Москве подарок Семёну: хороший макинтош. А сегодня в ГУМе нет мокинтошей.» На это Кузьмина ответила: «Иван работает в ГУМе. Позвоните ему в одиннадцать часов и узнайте. Я позвонила сегодня и он мне сказал, что

* finally

макинтоши пришли. Английские. Импорт. Модерн! Я даже забыла, что ты на улице, пошла и купила. Вот тебе мой подарок!≫

Она дала Семёну пакет. Семён сказал:

– Спасибо, дорогая, большое спасибо. А я купил тебе только журнал. Стыдно даже! А теперь идём быстро в гостиницу. Поезд идёт в час. Надо ехать домой!

и... и...	both... and....	ждать	to wait
пошли́/ пошёл/ пошла́	went	посмотре́л	looked
сестра́	sister	поду́мал	thought
по́езд	train	вокза́л	station
е́хать	to go (by vehicle)	узна́ть	to find out
домо́й	to (his) home	набра́ть но́мер	to dial a number
заказа́ть	to order	дура́к	fool
попроси́ть	to ask (for)	сно́ва	once again
друг	friend	паке́т	parcel
на доро́гу	for the journey	сты́дно	ashamed
отве́тить	to reply	тепе́рь	now

Comprehension questions:

1. Саблин не знал, что делать, потому что

A он был в Москве.
B Ольга не забыла о Нюре.
C Ольги не было.
D он выпил бутылку пива.

2. Ольге надо было

A позвонить Кузьмину.
B пойти в гастроном.
C заказать лимонад.
D посмотреть в будку.

3. Саблин позвонил Кузьмину, потому что

A Кузмин работал в ГУМе.
B он один на улице.
C он хотел знать, где Ольга.
D Ольга стояла перед ним.

4. Ольга купила Семёну

A сумку.
B журнал.
C пакет.
D макинтош.

5. Саблины едут

A в гостиницу.
B в ГУМ.
C в Москву.
D в Курск.

6. Ольга забыла

A позвонить Ивану Петровичу.
B что Семён на улице.
C что пришли макинтоши.
D купить Семёну подарок.

15. Пятна́дцатый уро́к

Диало́ги

I. *Boris Petrovich in hotel foyer: 5.0 p.m*

Бори́с: Где Ми́ша? Он говори́л, что матч в шесть часо́в. Уже́ по́здно. А я не зна́ю, где стадио́н, и как туда́ е́хать. Я так хоте́л бы посмотре́ть футбо́льный матч[1]. А, вот Ми́ша идёт!

Ми́ша: Здра́вствуйте, Бори́с Петро́вич!

Бори́с: Приве́т, Ми́ша! Где вы бы́ли?

Ми́ша: Прости́те, я не знал, кото́рый час. Я не ду́мал, что так по́здно.

Бори́с: Вы купи́ли биле́ты для нас?

Ми́ша: В кио́ске уже́ не́ было биле́тов. Прости́те. Но я зна́ю, что на ста́нции метро́ «Дина́мо» есть большо́й кио́ск. Это нам по пути́ на стадио́н. Пое́дем – посмо́трим.

Бори́с: Хорошо́. А как мы пое́дем? На метро́?

Ми́ша: Нет, на авто́бусе то́лько два́дцать мину́т.

Бори́с: Зна́чит от гости́ницы до стадио́на два́дцать три мину́ты?

Ми́ша: Нет, от авто́буса до стадио́на на́до идти́ пешко́м ещё де́сять мину́т.

Бори́с: Так пойдём скоре́е! Ско́ро матч, а у нас ещё нет биле́тов!

II. *At the bus stop*

Ми́ша: Скоре́е, Бори́с Петро́вич, вот идёт наш авто́бус!

Бори́с: Ско́лько наро́ду! Ме́ста нет! Что же де́лать?

Ми́ша: Ничего́, здесь мно́го авто́бусов. Вот сейча́с идёт второ́й авто́бус. Там есть свобо́дные места́.(**They enter**). Вот одно́ свобо́дное ме́сто. Сади́тесь, Бори́с Петро́вич. Я пойду́ возьму́ биле́ты.

Бори́с: А где же автома́т? Я ви́жу, что э́тот авто́бус рабо́тает без конду́ктора

Ми́ша: Да, без конду́ктора. А у вас в Ки́еве авто́бусы то́же так рабо́тают?

Бори́с: Да, у нас все авто́бусы таки́е.(**Pause**). Уф, как жа́рко в авто́бусе! Так мно́го наро́ду е́дет на футбо́л?

Ми́ша: Да, все е́дут. Сего́дня тако́й интере́сный матч. Вот уже́ Ленингра́дский проспе́кт.

Бори́с: Это уже́ недалеко́ от стадио́на?

Ми́ша: Да, недалеко́. Нам ну́жно е́хать ещё пять мину́т.

III. *The bus arrives at the Dynamo stop. They all alight*

Ми́ша: Вот мы уже́ здесь! Мы е́хали два́дцать пять мину́т. Пойдём поскоре́е. У кио́ска мно́го наро́ду. Вот вы сейча́с уви́дите, как мо́жно купи́ть биле́ты, когда́ уже́ по́здно и мно́го наро́ду. То́лько ничего́ не говори́те.

Бори́с: (whispers) А как э́то, Ми́ша?

Ми́ша: Ш... ш..., не говори́те! (Raises his voice in crowd) Прости́те, това́рищи! Одну́ мину́тку! Здесь тури́ст из Áнглии. Он о́чень лю́бит наш футбо́л, и хо́чет посмотре́ть матч.[2] Скажи́те, де́вушка, биле́ты на матч Торпе́до–Дина́мо у вас есть?

---

[1] The Russian football season begins in April and ends in October.

[2] Russians are genuinely hospitable and keen to make the visitor from abroad welcome. They often stand aside or even push foreigners forward in a queue.

Де́вушка:	Да, есть, но то́лько дороги́е биле́ты.
Ми́ша:	Ничего́, да́йте два, пожа́луйста. Это ско́лько?
Де́вушка:	Четы́ре рубля́.
Ми́ша:	Плиз, Ми́стер Смит, ю гив ми уан рабль!
Бори́с:	А? Рабль? Уан? (pause) Хир, плиз!
Ми́ша:	Вот, де́вушка, четы́ре рубля́.
Де́вушка:	Вот биле́ты, спаси́бо.
Ми́ша:	Ну, пойдём поскоре́е, уже́ игра́ют!
Бори́с:	Санк ю, Ми́ша. (loud whisper) Пойдём!

Садитесь, Николай Николаевич. Я пойду возьму билеты.

Слова́рь

стадио́н	stadium	конду́ктор	
не́ было + *gen.*	there was/were no	без	without
мы е́дем	we go (by vehicle)	два́дцать	20
со́рок пять	45	почему́	why
автома́т	ticket-machine	по-англи́йски	in English
		скоро	*soon*

Выраже́ния

прости́те	excuse me, forgive me	поскоре́е	quickly! Let's get a move on
нам по пути́	on our way	ско́лько наро́ду!	what a crowd!
пое́дем посмо́трим	let's go and see		

Вопро́сы к те́ксту

1. Где Ми́ша был?
2. Он уже́ купи́л биле́ты?
3. Где большо́й кио́ск?
4. Как они́ е́дут?
5. Ско́лько мину́т на́до е́хать?

6. На како́м авто́бусе бы́ли свобо́дные места́?
7. Как они́ взя́ли биле́ты на авто́бусе?
8. Каки́е биле́ты ещё бы́ли в кио́ске?
9. Почему́ Ми́ша говори́л по-англи́йски?
10. Ско́лько сто́или биле́ты?

Граммати́ческие примеча́ния

A. You have already met the verb идти́/пойти́ (to go) with the expressions мы идём, пойдём, etc. Movement of a person by vehicle demands the use of a different pair of verbs—е́хать, пое́хать. These verbs also mean 'to go' e.g. Я не зна́ю, где стадио́н, и как пое́хать туда́ (I don't know where the stadium is, nor how to get there); пое́дем (let's go [by car, bus, etc.]).

B. Без (without) takes the genitive case.

C. *Не́ было* is the past tense of нет (there is no ...) and, like нет, takes the genitive case, e.g. в кио́ске не́ было биле́тов (there were no tickets at the kiosk) or в кио́ске не́ было лимона́да (there was no lemonade at the kiosk).

D. Several compound numerals occur in this lesson (два́дцать три мниу́ты, со́рок пять мину́т, два́дцать пять мину́т) as well as further examples of simple cardinal numerals (де́сять мину́т, два́дцать мину́т). Мину́ты is genitive singular and мину́т is genitive plural.

You already know from an earlier lesson that два, три, четы́ре are followed by the genitive singular. When these three numerals are the last word in a compound numeral (два́дцать два, со́рок четы́ре, etc.) the genitive singular is also used.

After оди́н, одна́ одно́ and all compound numerals ending in these forms, e.g. 21, 81, 101, etc., the noun is in the nominative case. In all other cases the genitive plural is used.

Here are some examples of expressions with numerals:

Матч в шесть часо́в (gen. plur.)

На авто́бусе то́лько два́дцать три мину́ты (gen. sing.)

На́до идти́ ещё две мину́ты (gen. sing. *N.B.* две with feminine)

Я ви́дел два́дцать одну́ студе́нтку (acc. sing.)

E. Feminine nouns ending in -ия have the genitive in -ии, e.g. Здесь тури́ст из Англии (There is a tourist here from England). The locative is also in -ии, e.g. В Англии мно́го тури́стов.

Упражне́ния

DRILL 1: Today at 1.00, 2.00, etc. The match is an hour later each time.
Repetition:

Когда матч?

Сего́дня в час.

Когда матч?

Сего́дня в 2 часа,

(3, 4 часа, 5, 6, 7, 8, 9, 10 часов)

DRILL 2: This time you provide the answers. You will hear Когда матч?

(Items as for Drill 1)

DRILL 3: An hour from now.
(If it's 1.00 the match is at 2.00; if it's 6.00 the match is at 7.00, and so on.)

Уже́ час. Когда матч?

Матч в два часа.

Уже́ шесть. Когда матч?

Матч в семь часо́в.

(восемь, два, четыре, семь, три, пять, девять)

DRILL 4: *No, we couldn't buy you any because there was none left.*

Вы купи́ли для нас биле́ты?

Нет, уже́ не́ было биле́тов.

Вы купи́ли для нас лимона́д?

Нет, уже́ не́ было лимона́да.

(бу́лочки, чай, откры́тки, ма́рки, журна́лы, пода́рки)

DRILL 5: *That was where we saw the girl.*

Вот ста́нция метро́. Где вы ви́дели де́вушку?

На ста́нции метро́.

Вот гости́ница. Где вы ви́дели де́вушку.

В гости́нице.

(рестора́н, теа́тр, конце́рт, парк, стадио́н, А́нглия, Аме́рика, матч, Москва́)

DRILL 6: *The person you ask for is not here.*

Где администра́тор?

Администра́тора нет.

Где студе́нтка?

Студе́нтки нет.

(де́вушка, тури́ст, арти́ст, Бори́с Петро́вич, студе́нт, Ни́на, конду́ктор)

DRILL 7: *Here comes the bus. So-and-so isn't here, so we'll go without him.*

Вот идёт авто́бус. А Ни́ны ещё нет.

Так, пое́дем без Ни́ны.

Вот идёт авто́бус. А Бори́са ещё нет.

Так, пое́дем без Бори́са.

(администра́тор, ма́ма, конду́ктор, де́вушка, студе́нт, тури́ст, студе́нтка)

DRILL 8: *Yes, it's open, but there's nobody there yet.*

Буфет уже открыт?

Да, открыт, но в буфете ещё никого нет.

Гостиница уже открыта?

Да, открыта, но в гостинице ещё никого нет.

(театр, комната, квартира, душевая)

DRILL 9: *Yes, it's closed for repair.*

Душевая закрыта?

Да, в душевой идёт ремонт.

Ресторан закрыт?

Да, в ресторане идёт ремонт.

(буфет, гостиница, театр, комната, магазин, ГУМ)

DRILL 10: *Wait. You'll see what it's like.*

Какая у вас гитара?

Подождите, увидите, какая она.

Какой у вас портфель?

Подождите, увидите, какой он.

(сумка, чемодан, квартира, паспорт, девушка, магазин, комната, товарищ)

DRILL 11: *Yes. You can do that here.*

Киоск открыт. Здесь можно купить билеты?

Да, в киоске можно купить билеты.

Театр открыт. Здесь можно слушать концерт?

Да, в театре можно слушать концерт.

(буфет/выпить пиво; ресторан/хорошо позавтракать; ГУМ/купить гитару; магазин/купить пластинки; библиотека/читать журналы; Большой театр/слушать оперу)

Песня

ПОЕДЕМ НА ФУТБОЛ !

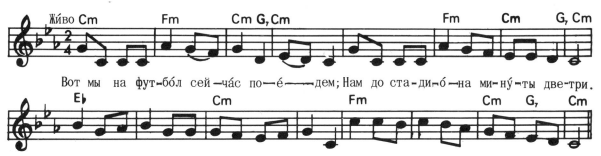

Вот мы на фут-бол сей-час по-е—дем; Нам до ста-ди-о-на ми-ну-ты две-три.

Бу—дут и-грать там Ди-на-мо и Тор-пе-до; С на-ми ту-да же и-дут все моск-ви-чи!

1. Вот мы на футбол сейчас поедем;
   Нам до стадиона минуты две-три.
   Будут играть там Динамо и Торпедо;
   С нами туда же идут все москвичи!

2. Нет у нас билетов; что ж нам делать?
   —Давайте в киоске попробуем купить.
   Сколько народу! Мы теперь туристы—
   Только по-английски нам надо говорить!

с нами	with us
туда же	to the same place
попробуем	let's try

16. Шестнадцатый урок

Диалоги

I. *At the football match: Boris Petrovich and Misha and girl sitting near*

Девушка: Простите, ваш товарищ – англичанин? Я была у киоска, когда вы покупали ваши билеты.

Миша: А... да... он англичанин... студент.

Девушка: А скажите, пожалуйста, можно поговорить с товарищем по-английски? Я студентка здесь в Москве.

Миша: Да? Но видите, мой товарищ не хочет говорить по-английски. Он серьёзный студент, и хочет говорить только по-русски. Он хорошо говорит.

Борис: (Roar of crowd) Дурак! Иди к чёрту!

Девушка: Да, очень хорошо говорит! Так можно говорить с ним по-русски.

Миша: Мистер Смит: вот эта студентка хорошо говорит по-английски. Я говорил, что вам надо говорить только по-русски.

Борис: Ах, да,.. значит, по-русски... да, я очень рад говорить с вами по-русски!

II.

Девушка: А вы из какого города, Мистер Смит?

Борис: Из какого города... из... гм... из Лондона.

Девушка: А, я была в Лондоне. Очень красивый город!

Борис: (hesitantly) Да, красивый.

Девушка: У вас большие красные автобусы, да? В два этажа.

Борис: Да, не только автобусы, а метро, троллейбусы, трамвай...

Девушка: А я не видела в Лондоне трамвая.

Борис: Не видели?... да, трамвай не в центре города. А, скажите, пожалуйста, вы из Москвы?

Девушка: Нет, из Киева.

Борис: (sotto voce) Ах, чёрт!

Девушка: Простите, что вы говорите?

Борис: Я... я говорил, что я был в Киеве.

Девушка: Так значит, вы уже знаете наш город?

Борис: Да, хорошо знаю! Красиво там...

Миша: Там рестораны, театры, парки, кафе... всё есть!

Борис: Правда, наш... то-есть, ваш город очень красивый.

Девушка: Скажите, у вас в Лондоне большой университет? (referee's whistle, cheering crowds...)

Борис: Да, но вот уже конец матча! Нам пора идти.

Девушка: А какие у вас библиотеки в Лондоне?

Борис: Ничего, хорошие. Простите, нам пора идти.

III. *As they walk through crowd*

Девушка: Можно с вами?

Миша: Простите, Борис Петрович... то-есть Мистер Смит едет сейчас в гостиницу. Так до свидания.

Борис: Очень рад, что поговорил с вами!

Девушка: И мне тоже было очень приятно. Вы говорите по-русски, как русский.

Борис: Спасибо! До свидания!

Девушка: Всего хорошего! Гуд бай! (goes off)

Борис: (turning to Misha) Ах, чёрт, Миша! Вот вы какой! Это было очень нехорошо!

Миша: Как нехорошо? Вы хотели смотреть матч, я купил билеты, вы смотрели!

Борис: Да, надо сказать, что матч был интересный.

Миша: Ну, вот и всё! Всё хорошо, что хорошо кончается!

Словарь

покупали	were buying	троллейбус	
англичанин	an Englishman	трамвай	
английский	English	с вами	with you
язык	language	с ним	with him
русский	Russian	центр	
по-русски	in Russian	кончается	ends
дурак!	fool, idiot!	конец	the end
красный	red		

Выражения

иди к чёрту!	go to the devil!
в два этажа	two storeys high
то-есть	that is
вот уже конец матча	there's the end of the match already
это было нехорошо	that was not right
ну вот и всё	that's all there is to it
всё хорошо, что хорошо кончается	all's well that ends well

Вопросы к тексту

1. Где была девушка, когда Миша и Борис купили билеты?
2. Борис англичанин?
3. Из какого города Борис?
4. А что говорит Миша?
5. Что девушка хочет делать?
6. Что говорит Борис о Лондоне?
7. Он говорит правду?
8. Из какого города девушка?
9. Борис рад, что она из Киева?
10. Борис думает, что матч интересный?

Грамматические примечания

A. <u>покупать, the imperfective of купить, is an exception to the rule that the prefixed form is perfective</u>. Imperfective and perfective verbs should be learned, where possible, as pairs.

N.B. also the non-matching pair: говорить – сказать.

B. Notice that the Russians write the words describing nationality with a small letter: Он англичанин (He is an Englishman); Он английский турист (He is an English tourist). Incidentally, the word for Englishwoman is англичанка.

The Russians do not have a special word for 'a Russian' but use the adjective, русский.

Thus: Он русский (He is a Russian)

Он русский турист (He is a Russian tourist)

Она русская (She is a Russian)

Она русская студентка (She is a Russian student)

C. The forms по-английски, по-русски (in English, in Russian) are special adverbial forms. Notice that there is no -й on the end of these words. (See Drill 4.)

D. A new case occurs in this lesson, the <u>instrumental with с (with)</u>, e.g. Можно говорить с товарищем по-английски? (May I speak English with your friend?); Так можно говорить с ним по-русски? (So may I speak Russian with him?); Я очень рад говорить с вами по-русски (I am very pleased to speak Russian with you).

You will notice that the <u>ending -ем</u> is added to товарищ <u>in the instrumental</u> case. (See Spelling Rules, p.126). If we have a word such as турист, the <u>ending would be -ом</u>: с туристом. There will be further discussion of the instrumental in later lessons.

Упражнения

DRILL 1:

Вы вчера работали?

Нет, я работаю сегодня.

Вы вчера читали?

Нет, я читаю сегодня.

(отдыхали, гуляли, играли)

DRILL 2:

Вы работаете в университете сегодня?

Нет, я работал там вчера.

Вы завтракаете в буфете сегодня?

Нет, я завтракал там вчера.

(гуляете в парке)

DRILL 3: The student attends university in his home country.

Вот английский студент.

Он студент английского университета.

Вот русская студентка.

Она студентка русского университета.

(английская студентка, московская студентка, ленинградский студент, киевский студент, лондонская студентка)

DRILL 4: *No, but he speaks the language well.*

Он англичанин?

Нет, но он хорошо говорит по-английски.

Она русская?

Нет, но она хорошо говорит по-русски.

(англичанка, русский, американец, итальянец)

DRILL 5:

Миша знает русский язык?
Да, он хорошо говорит по-русски.

Нина знает английский язык?
Да, она хорошо говорит по-английски.

(турист/английский язык; администратор/
русский язык; мы/русский язык; мы/
английский язык; вы/русский язык)

DRILL 6: *May I join you?*

Я хочу пойти в театр.
Можно пойти с вами?

Я хочу позавтракать в ресторане.
Можно позавтракать с вами?

(говорить по-английски, работать в
университете, выпить пиво в буфете, отдыхать в
спальне, гулять в парке, послушать пластинки)

DRILL 7: *All right, let's join him.*

Турист хочет пойти в театр.
Хорошо, пойдём с ним.

Турист хочет позавтракать в буфете.
Хорошо, позавтракаем с ним.

(поговорить по-русски, поработать в
университете, выпить пиво в буфете, погулять в
парке, послушать пластинки)

DRILL 8:

Я работаю в университете.
Мне тоже надо работать. Можно с вами?

Я пойду в театр.
Мне тоже надо пойти. Можно с вами?

(читаю в библиотеке, гуляю в парке, отдыхаю в
гостинице, пью чай, слушаю радио)

можно ≠ надо

Песня

ПОЕ́ДЕМ НА ФУТБО́Л

3. Вот как Ми́стер Смит говори́т по-ру́сски,
   Ки́ев и Москву́ зна́ет хорошо́.
   В Ло́ндоне была́ я – не ви́дела трамва́я:
   Ми́стер Смит об Англии не зна́ет ничего́!

4. Ми́ша, како́й вы нехоро́ший!
   Матч я, коне́чно, смотре́ть хоте́л.
   Когда́ же мы говори́ли по-англи́йски,
   Ви́дела де́вушка, как я красне́л!

я красне́л **I blushed**

Текст для чте́ния

Моя́ фами́лия Ще́пкин. Я студе́нт Моско́вского университе́та. Матема́тик. У меня́ ко́мната в
студе́нческом общежи́тии. Это не гости́ница для тури́стов, но жить мо́жно. Есть и столо́вая,
и душева́я, и лифт рабо́тает.

Утром иду́ в университе́т часо́в в де́сять. Профе́ссор чита́ет ле́кцию, студе́нты слу́шают. После
ле́кции я рабо́таю в библиоте́ке. Пото́м обе́д и сно́ва рабо́та. Ну, а ве́чером в суббо́ту спорт.

Я о́чень люблю́ игра́ть в футбо́л и хорошо́ игра́ю. Профе́ссор Ку́рочкин у нас то́же лю́бит футбо́л, но он
не игра́ет. Серьёзный челове́к!

Вчера́ он мне сказа́л:

– Ще́пкин, вы хоти́те пойти́ на матч Спарта́к-Арсена́л?

– Бо́же мой! – я отве́тил, – хоте́л бы, коне́чно, но на э́тот матч биле́тов нет. Я уже́ был в кио́ске и
мне сказа́ли, что все биле́ты раскупи́ли.

А профе́ссор Ку́рочкин на это говори́т:

+ then, after

— Вы, Щепкин хороший студент и хороший футболист. У меня для вас сюрприз. У меня два билета. Идёмте!

Я не знал, что сказать, не знал, что делать. Я бы хотел обнять Курочкина, но неудобно было бы. Я всё «Спасибо!» говорю, а профессор отвечает: «Бросьте. Шесть часов. Ехать так ехать! Поедемте на метро!»

Едем. Боже мой, сколько народу! На стадионе девушки, студенты, туристы из Англии, вся Москва!

Матч был интересный. У меня не было макинтоша и сначала мне было холодно. Но когда счёт был 2:2, мне уже не было холодно. Мне стало тепло. А когда я увидел, что результат – Спартак три, Арсенал два, от энтузиазма мне было жарко, ещё как жарко!

Домой мы снова ехали на метро. Профессор всю дорогу говорил о геометрической теории Лобачевского. Это интересно, но я первый раз плохо его слушал. Прямо безобразие! Курочкин говорит:

— После Евклида Лобачевский величайший математик!

А у меня в голове другая математика

— Спартак три, Арсенал два! Ура!

Но завтра надо серьёзно работать. Лобачевский так Лобачевский. Пойду в библиотеку читать этого величайшего математика.

теория	theory	сначала	at first
математик	mathematician	мне стало тепло	I began to feel warm
общежитие	hostel, residence	всю дорогу	the whole way
жить	to live	геометрический	geometric
лекция	lecture	первый раз	for the first time
обед	lunch	плохо	badly
суббота	Saturday	прямо	just
раскупить	to buy up	величайший	the greatest
обнять	to embrace	голова	head
неудобно	awkward, embarrassing	другой	another (sort of)
бросьте	skip it	математика	mathematics
Боже мой!	My god!	завтра	tomorrow
счёт	score		

Comprehension questions:

1. Щепкин

A профессор.
B студент.
C турист
D администратор.

2. Студенты слушают лекцию

A в общежитии.
B в университете.
C в лифте.
D в библиотеке.

3. Профессор Курочкин

A играет в футбол.
B не любит Щепкина.
C купил два билета.
D не хочет идти на матч.

4. Курочкин дал Щепкину билет, потому что

A он турист из Англии.
B он хотел его обнять.
C он не знал, что сказать.
D он хороший студент.

На нашем стадионе всегда можно смотреть красивый футбол.

101

17. Семнадцатый урок

Диалоги

I. *Misha and Tamara in the university library, 11.0 a.m.*

Тамара: Вот уже конец моей работы!

Миша: Да, Тамара, мы хорошо поработали сегодня утром. Пойдём погуляем.

Тамара: Да, пойдём. А что это вы говорили вчера о туристе из Киева? Может быть, я его знаю.

Миша: Его фамилия Майский, Борис Петрович. Мы с ним поехали вчера вечером на футбольный матч и там говорили с девушкой из Киева. Она думала, что Борис Петрович англичанин и хотела говорить с ним по-английски!

Тамара: Англичанин! А кто сказал, что он англичанин?

Миша: Да вот у киоска было много народу и мы хотели взять билеты. Вот я сказал, что он английский турист.

Тамара: И вам дали билеты?

Миша: Конечно, дали. Но были только дорогие.

Тамара: А где сейчас ваш «английский турист» из Киева?

Миша: Он в гостинице в центре города. Хотите, поедем туда?

Тамаяа: Да, поедём. Как туда ехать?

Миша: Уже поздно. И в автобусе много народу. Поедем на такси. Но надо ему позвонить. У вас есть две копейки для телефона?[1]

Тамара: Вот две копейки. Вы звоните, а я пойду выпью воду из этого автомата. Мне нужны три копейки. У вас есть?

Миша: Вот три копейки. После телефона я тоже выпью.

II. *Boris Petrovich's hotel room: the phone rings.*

Борис: Алло, я слушаю.

Миша: Борис Петрович, можно к вам?

Борис: Конечно. А когда, Миша?

Миша: Сегодня в двенадцать.

Борис: Да, хорошо, я уже позавтракал. Сейчас я хочу погулять по Москве.

Миша: Хорошо погуляйте. А мы поедем на такси И увидим вас в центре.

Борис: А где в центре?

Миша: Вы знаете Красную площадь?

Борис: Что вы, Миша! Конечно, знаю. Я был с вами в ГУМе!

Миша: Ах, да. Так вы знаете мавзолей Ленина?

Борис: Да, сегодня я хочу посмотреть на Ленина.

Миша: Так мы с вами пойдём в мавзолей, посмотрим тоже.

[1] It is useful to have the following small change handy in Moscow:

    1-kopeck piece (plain soda-water from an автомат)

    2-kopeck piece (telephone-call from a public box — телефон-автомат)

    3-kopeck piece (soda-water with fruit-flavoured syrup; tram-fare)

    5-kopeck piece (Metro and bus-fare).

Бори́с: Вы бу́дете с Ни́ной?

Ми́ша: Нет, с Тама́рой. Она́ студе́нтка из Ки́ева. Я говори́л с ней о вас и она́ о́чень хо́чет вас ви́деть.

Бори́с: Но ма́ма и Ва́ля . . .

Ми́ша: Ну, что вы, Бори́с Петро́вич! Это не любо́вное свида́ние! Она́ то́лько хо́чет с ва́ми поговори́ть!

Бори́с: Хорошо́, Ми́ша, зна́чит, на Кра́сной пло́щади в двена́дцать.

Слова́рь

автома́т	street vending machine (for soda water, etc.)	мавзоле́й	Mausoleum
двена́дцать	12	вы бу́дете с Ни́ной?	will you be with Nina?
такси́		любо́вное свида́ние	a lovers' rendezvous

Выраже́ния

мо́жет	perhaps	на́до ему́ позвони́ть	we must give him a ring
мы с ним	he and I	что вы, Ми́ша!	what a thing to say, Misha!
как нам пое́хать?	how should we go?	кому́	to whom
мы уви́дим вас	we'll see you		

к- то (takes dative)

Вопро́сы к те́ксту

1. Что де́лали Ми́ша и Тама́ра у́тром?
2. Что говори́т Ми́ша о Бори́се?
3. Как они́ пое́дут к Бори́су?
4. Кому́ позвони́т Ми́ша?

5. Что Тама́ра хо́чет пить?
6. Ско́лько сто́ит вода́?
7. Куда́ они́ е́дут?
8. На кого́ Бори́с хо́чет посмотре́ть?

Граммати́ческие примеча́ния

A. The instrumental of feminine nouns in -а normally ends in -ой, except where special rule 5 (p. 126) applies. e.g. Я е́хал с Ни́ной (I was going with Nina).

   Note that с may become со when it precedes certain combinations of consonants, e.g. Где студе́нт? Вот он идёт со студе́нткой.

B. In earlier lessons you have had the masculine singular adjective and noun (До Большо́го теа́тра далеко́? До ва́шего до́ма далеко́?) Contrast this with the feminine forms used in this lesson, e.g. Ну, вот уже́ коне́ц мое́й рабо́ты (Well, thats my work finished); в це́нтре Москвы́ (in the centre of Moscow).

C. In previous lessons you have seen perfective/imperfective pairs in the past tense.

   Russians often express a future by using the perfective form in what looks like the present tense. Thus: Мы пое́дем туда́ (We shall go there) and Я то́же вы́пью (I shall also drink). As in the previous case, it is more necessary for you to recognize than to be able to use these forms at this stage. Remember the following forms:

   Мы пое́дем туда́ на такси́ (We shall go there by taxi);

   Я то́же вы́пью (I shall have a drink, too);

Так мы с ва́ми пойдём в мавзоле́й, посмо́трим (So we'll go together to the mausoleum and have a look).

D. _По_ takes the dative case of the noun, e.g. Как прия́тно гуля́ть по Москве́ (How pleasant it is to stroll around Moscow); Как прия́тно гуля́ть по Ки́еву (How pleasant it is to stroll around Kiev).

E. _Смотре́ть на_ (to look at) takes the accusative case of the noun or pronoun.

Instrumental used for carrying something

Упражне́ния

DRILL 1:
Вот лимона́д. Вот мой това́рищ.
Вот лимона́д моего́ това́рища.

Вот но́мер. Вот моя́ кварти́ра.
Вот но́мер мое́й кварти́ры.

(па́спорт/мой студе́нт; спа́льня/моя́ ма́ма; центр/мой го́род)

DRILL 2:
Вот лимона́д. Вот наш това́рищ.
Вот лимона́д на́шего това́рища.

Вот но́мер. Вот ва́ша кварти́ра.
Вот но́мер ва́шей кварти́ры.

(па́спорт/наш студе́нт; спа́льня/ва́ша ма́ма; центр/ваш го́род)

DRILL 3:
Вот его́ портфе́ль, э́то мой.
Нет, э́то не его́ портфе́ль, э́то мой.

Вот его́ су́мка.
Нет, э́то не его́ су́мка, э́то моя́.

(о́чередь, трамва́й, эта́ж, вода́, буты́лка, отде́л)
о́чередь turn

(f) turn, place

DRILL 4: _They gave some, only they were expensive._
Вам да́ли биле́ты?
Да́ли, то́лько до́рого сто́или.

Вам да́ли лимона́д?
Да́ли, то́лько до́рого сто́ил.

(су́мку, бу́лочки, пода́рки, журна́л, откры́тку, ма́рки, ко́мнату)

DRILL 5: _Yes, I was having a talk with her._
Вы ви́дели де́вушку в па́рке?
Да, я говори́л с ней.

Вы ви́дели Ни́ну в па́рке?
Да, я говори́л с ней.

(Ва́лю, студе́нтку, ма́му, Тама́ру)

instru.
DRILL 6
Где гита́ра?
Вот он идёт с гита́рой.

Где Ни́на?
Вот он идёт с Ни́ной.

(су́мка, де́вушка, ма́ма, студе́нтка, бу́лочка, откры́тка, вода́)

DRILL 7: _Here's the bus. So-and-so's not here, so we'll go without him._
Вот авто́бус. А где администра́тор?
Администра́тора нет. Так пое́дем без администра́тора.

Вот авто́бус. А где студе́нтка?
Студе́нтки нет. Так пое́дем без студе́нтки.

(де́вушка, тури́ст, арти́ст, Бори́с Петро́вич, студе́нт, Ни́на)

DRILL 8: _No, it's a long way there. Let's go on the bus._
Пойдём пешко́м на стадио́н.
Нет, до стадио́на далеко́. Пое́дем на авто́бусе.

Пойдём пешко́м в библиоте́ку.
Нет, до библиоте́ки далеко́. Пое́дем на авто́бусе.

locative case

(теа́тр, рестора́н, гости́ница, ГУМ, Москва́, Ленингра́дский проспе́кт, пло́щадь)

DRILL 9: *So-and-so is not here. Wait a minute here he comes.*

Девушки нет.

Одну минутку, вот она идёт.

Администратора нет.

Одну минутку, вот он идёт.

(турист, студентка, Миша, Борис Петрович, автобус, Нина, кондуктор)

native — **DRILL 10:** *It's such a pleasant city to walk round!*

Лондон красивый город.

Да, как приятно гулять по Лондону!

Москва красивый город.

Да, как приятно гулять по Москве!

(Киев, Ленинград, Одесса)

DRILL 11:

Библотека открыта. Я хочу работать.

Так пойдём работать в библиотеке.

Парк открыт. Я хочу гулять.

Так пойдём гулять в парке.

(театр/слушать оперу; ресторан/пить пиво; стадион/смотреть матч)

Бюрократ на любовном свидании.

Песия

КАЛИПСО О ТУРИСТАХ

Е—ха—ли мы на фут—бо́л. Ав—то́—бус ме́д—лен—но шёл. Бы́—ло у нас ру—бля́ три, до—е́—ха—ли мы на так—си́. Ско́ль—ко на—ро́—ду там! Да́—ли би—ле́—ты нам: Бо́—ря анг—ли́й—ский ту—ри́ст. Но по—ру́с—ски он го—во—ри́л, бу́д—то в Моск—ве́ он жил: Зна́—чит, хо—ро́—ший линг—ви́ст!

1. Ехали мы на футбо́л. Авто́бус ме́дленно шёл.
   Бы́ло у нас рубля́ три – дое́хали мы на такси́.
   Ско́лько наро́ду там! Да́ли биле́ты нам:
   Бо́ря – англи́йский тури́ст.
   Но по-ру́сски он говори́л, бу́дто в Москве́ он жил:
   Зна́чит, хоро́ший лингви́ст!

2. Не ви́дел ещё мавзоле́й; пойду́ я туда́ поскоре́й.
   Ми́ша не хо́чет опя́ть в о́череди стоя́ть:
   Ско́лько наро́ду там! Да́йте же ме́сто нам!
   Плиз ком виз ми, Ми́стер Смит!
   Прости́те това́рищи: тури́ст вот англи́йский
   По-ру́сски не говори́т.

ме́дленно	slowly
дое́хали мы	(we finished our journey) *we got there*
бу́дто	as if
он жил	he lived
зна́чит	that means

поскоре́й	as quickly as possible
опя́ть	again
стоя́ть в о́череди	to stand in a queue
ме́сто	place, room
прости́те	I'm sorry

18. Восемнáдцатый урóк

Диалóги

I. *Boris reaches Red Square*

Борúс: (to himself): Как приятно гулять по Москвé! Я полюбил этот гóрод. Кúев, конéчно, тóже красúвый гóрод. В цéнтре Москвы не так мнóго пáрков, как у нас в Кúеве. Но здесь приятно. Нарóду скóлько! Конéчно, онú не все москвичú. Здесь мнóго турúстов. Вот наконéц мавзолéй. Какáя там óчередь! А где конéц óчереди? А, вот! (Pause, crowd noise) Ужé пóздно, а где Мúша? Я здесь ужé двáдцать минýт, а егó нет. А, вот он!

Человéк в óчереди: Кудá вы, товáрищ? Что вы дéлаете? Конéц óчереди там.

Мúша: Простúте, товáрищ! Вот турúст из Лóндона: мы с ним. Халлó, Мúстер Смит!

Дéвушка в óчереди: Ничегó, ничегó. Он из Лóндона, турúст. Он хóчет вúдеть нáшего Лéнина.

II. *Leaving Red Square. Boris Petrovich, Misha and Tamara*

Мúша: Ну, вот, Борúс Петрóвич. Вы ужé вúдели Крáсную плóщадь и мавзолéй. Что вы хотúте ещё посмотрéть?

Борúс: Я не знáю. Как вы дýмаете?

Тамáра: Пойдём в парк культýры и óтдыха úмени Гóрького. Вы ужé там бы́ли?

Борúс: Нет, я там ещё не был.

Тамáра: Это óчень красúвое мéсто. Я так люблю́ гулять там, когдá птúцы поют! Хотúте поéдем тудá?

Борúс: Пожáлуйста. Как мы поéдем? На таксú? У меня есть дéньги.

Мúша: Нет, поéдем на метрó. Стáнция метрó у библиотéки úмени Лéнина. Это недалекó.

Тамáра: Нет, лýчше поéдем на таксú. Сегóдня так жáрко и в метрó мнóго нарóду.

Мúша: Но вот Борúс Петрóвич здесь ужé три-четы́ре дня и ещё не вúдел метрó. Он турúст, знáете.

Тамáра: Ну, хорошó. Пойдём на стáнцию. Ах, вот морóженое! Так жáрко, и я óчень люблю́ морóженое.

Борúс: Я куплю́ морóженое. У меня есть дéньги. Вы тóже хотúте, Мúша?

Мúша: Спасúбо, но я купúл бы егó в пáрке. Есть морóженое в метрó óчень нехорошó и некультýрно.

Тамáра: К чёрту с вáшей культýрой, Мúша! Спасúбо, Борúс Петрóвич.

Борúс: Вот вáше морóженое, Тамáра.

Словáрь

я полюбúл	I've fallen for	поют	they sing
наконéц	at last	лýчше	better, best
óчередь	queue	три-четы́ре дня	three or four days
культýра	culture	есть	to eat
óтдых	rest	морóженое	ice-cream
úмени Гóрького	named after Gorky	некультýрно	impolite
птúца	bird		

Выраже́ния

я здесь уже двадцать мину́т	I have been here for 20 minutes
куда́ вы?	where are you going?
как вы ду́маете?	what do you think?
лу́чше пое́дем	we had better go

Вопро́сы к те́ксту

1. Бори́с лю́бит Москву́?
2. Где Бори́с ви́дит о́чередь?
3. Что говори́т Ми́ша в о́череди?
4. Бори́с уже́ был в па́рке культу́ры и о́тдыха?
5. Куда́ они́ иду́т?

6. Когда́ прия́тно гуля́ть в па́рке?
7. Как они́ е́дут?
8. У кого́ есть де́ньги?
9. Ми́ша лю́бит есть моро́женое на метро́?

Граммати́ческие примеча́ния

A. Я здесь уже́ два́дцать мину́т: Russians are very logical about <u>time sequences</u>. If they want to imply that <u>they are still doing something, the verb is in the present tense</u> (or omitted if it is the verb 'to be'), <u>rather than using a past tense as in English</u>—'I *have been* here'. Russian would require a past tense in this context only if *all* the action was in the past and had now been superseded. Compare the examples below:

Мы игра́ем в футбо́л уже́ два часа́.   (We *have* been playing football for 2 hours)
Мы игра́ли в футбо́л уже́ два часа́, когда́ ... (We *had* been playing football for 2 hours when...)

B. The <u>accusative case of the masculine pronoun</u> он and the <u>neuter</u> оно́ is его́ and of the <u>feminine</u> она́—её. Thus: Я ви́жу его́ (I see him) and Я ви́жу её (I see her). (See Drill 2)

C. *Ва́ше* is the neuter singular form from ваш, e.g. Я не зна́ю ва́ше метро́ (I don't know your Underground). Similarly *на́ше* is from наш, e.g. Вы уже́ ви́дели на́ше метро́?

D. *Ме́сто*:(Lesson 14) is the first declinable neuter noun we have met so far. (See Declension Tables, p.127). Words like кафе́, метро́, такси́, ра́дио and ко́фе are all of foreign origin and retain the same form whatever their function in the sentence. Any adjective used with these words must, however, be declined. Thus compare:

до э́того краси́вого ме́ста/до э́того краси́вого кафе́,
в э́том краси́вом ме́сте/в ва́шем краси́вом метро́.

Упражне́ния

DRILL 1: *Yes, I have. But where on earth is it?*
У вас есть сумка?
Есть. Но где же она?

У вас есть билеты?
Есть. Но где же они?

(портфели, паспорт, марка, открытки, подарок, бутылки, гитара)

DRILL 2: *It's a nice one. I'd so love to buy it!*
Видите, там хорошая сумка.
Как я хотел бы её купить!

Видите, там хороший подарок.
Как я хотел бы его купить!

(марка, мороженое, чай, открытка, пиво, гитара, пластинка, чемодан)

DRILL 3: *No, I've already bought one like that in GUM.*

Вы хотите купить этот портфель?

Нет, я уже купил такой портфель в ГУМе.

Вы хотите купить эту сумку?

Нет, я уже купил такую сумку в ГУМе.

(чемодан, пластинка, билет, гитара, открытка, журнал, бутылка)

DRILL 4:

Вот красивая сумка.

К чёрту с вашей сумкой!

Вот красивая девушка.

К чёрту с вашей девушкой!

(марка, комната, гостиница, гитара, Нина, библиотека)

DRILL 5: *Yes, we've got lots of them.*

У вас в Киеве есть гостиницы?

Да, у нас много гостиниц.

У вас в Киеве есть парки?

Да, у нас много парков.

(театры, девушки, туристы, студентки, грампластинки, автобусы, комнаты, буфеты)

DRILL 6:

Вот одна копейка.

А мне нужно две копейки.

Вот один портфель.

А мне нужно два портфеля.

(сумка, билет, чемодан, булочка, комната, открытка, марка, гитара)

Песня

КАЛИ́ПСО О ТУРИ́СТАХ

3. Моро́женое я люблю́; для всех дава́йте куплю́.
Това́рищи, вме́сте пойдём на ста́нцию пешко́м.
Библиоте́ка там и́мени Ле́нина,
Вот же на́ше метро́.
По́езд уже́ идёт! Ой, како́й наро́д!
В по́езде о́чень тепло́.

4. Тама́ра и Ми́ша иду́т слу́шать, как пти́цы пою́т;
В буфе́те так хорошо́: пи́ва я вы́пью ещё.
В па́рке культу́ры вот и́мени Го́рького
Как прия́тно сейча́с!
Конце́рт мы слу́шали; вы с де́вушкой ку́шали–
Зна́чит, забы́ли о нас!

вме́сте — together
ку́шать — to eat

Текст для чте́ния

ВСТРЕЧА

Игорь долго стоял в очереди около автомата. Когда он наконец опустил монету и выпил лимонада, ему надо было позвонить Тамаре.

Он пошёл в киоск и набрал номер.

–Тама́ра? Говорит Игорь. Здравствуйте! Сегодня так жарко. Хотите поехать со мной в парк культуры и отдыха имени Горького?

–А мороженое мне купите? – спросила девушка.

–Конечно куплю. Ну так, приходите на станцию метро у библиотеки имени Ленина.

Когда Тамара пришла, народу на станции было очень много. Игорь ждал у входа и дал ей букет фиалок.

–Спасибо дорогой, это что, настоящее любовное свидание? А что мы будем делать в парке?

Игорь ответил, что в парке поёт ансамбль народных песен имени Чайковского и играет хороший оркестр.

Они сели в поезд* и скоро были на месте. Тамаре было приятно гулять с Игорем по парку. И он и она были москвичи и очень любили свой красивый город.

–Тамара, хотите теперь мороженое или будем есть в ресторане? – спросил Игорь.

–Но это так дорого стоит! – ответила девушка.

–Ничего, завтра* уеду на три-четыре дня, а сегодня деньги у меня есть и я хочу с вами поговорить и выпить за ваше здоровье.

Они вошли в большой ресторан и сели за столик. [entered]

–А куда вы едете?

–Не на луну и не на Марс, а только в Лондон. Сегодня тут с вами и водку пью, а завтра утром еду в аэропорт и через два часа буду пить виски в Лондоне.

–Как интересно! А вы любите виски?

–Правду сказать, нет. Но вы знаете, иногда надо. Как в пословице: «С волками жить – по волчьи выть».

–Но ведь англичане не волки!

–Конечно нет. Они симпатичные люди, но живут иначе, чем мы. У меня с ними большая дружба,[1] но, как говорят: «Везде хорошо, а дома лучше».[2]

–Значит скоро вернётесь?

–Ну да, и тогда опять встретимся.[3]

* train
* tommorrow

до́лго	for a long time
о́коло	near, by
опусти́л моне́ту	inserted a coin
спроси́ла	asked
фиа́лки	violets
настоя́щий	real
наро́дные пе́сни	folk songs
се́ли	sat down
уе́ду	I shall leave
луна́	moon
че́рез два часа́	in 2 hours' time
ви́ски	whisky
посло́вица	proverb
волк	wolf
по во́лчьи	like a wolf
выть	to howl
«С волка́ми жить – по во́лчьи выть»	If you live with wolves, you must howl like a wolf

[1] friendship
[2] there's no place like home

симпати́чный	agreeable, friendly
лю́ди	people
ина́че	in a different way
везде́	everywhere
«Везде́ хорошо́, а до́ма лу́чше»	there's no place like home
вернётесь	you will return
тогда́	then
опя́ть	again
встре́тимся	we shall meet

Comprehension questions:

1. Что Игорь хотел?

A Есть.
- B Пить.
C Работать.
D Стоять.

2. Зачем он набрал номер? Чтобы

A выпить.
B купить.
- C позвонить.
D прийти.

3. Кому Игорь позвонил?

A Народу.
B Горькому.
C Культуре.
- D Тамаре.

4. В парке Игорь и девушка

A пели.
B играли.
C сели.
- D гуляли.

5. Куда Игорю надо ехать?

A В большой ресторан.
- B В Англию.
C На луну.
D Домой.

6. Игорь любит

A пословицу.
B волков.
C виски.
- D свой дом.

Вот сейчас увидите, что ехать
на метро не стоит так дорого.

19. Девятна́дцатый уро́к

Диало́ги

I. *They approach the underground station*

Ми́ша: Ну вот библиоте́ка и́мени Ле́нина и ста́нция метро́.

Бори́с: Ско́лько наро́ду здесь! А где же они́? Где вход? Ду́маю, что здесь.

Де́вушка: Куда́ вы, това́рищ? Это не вход, а вы́ход! Здесь вхо́да нет.

Бори́с: Прости́те, я здесь тури́ст. Я не зна́ю ва́ше метро́.

Де́вушка: А вы по-ру́сски не чита́ете?

Бори́с: Чита́ю, то́лько не ви́дел, что здесь вы́ход. Куда́ мне на́до идти́?

Де́вушка: Вход вот там, недалеко́.

Бори́с: Ай-ай, на́до поскоре́е! (Enters the station) Где они́? А! вот там!

Ми́ша: Где вы бы́ли, Бори́с Петро́вич? Мы ду́мали, что вы уже́ пое́хали в Ки́ев!

Бори́с: Прости́те, я не знал, где вход. Наро́ду так мно́го. Пойдём возьмём биле́ты.

Тама́ра: Нет, не на́до. Здесь автома́ты. У вас есть пять копе́ек?

Бори́с: Вот уже́ по́езд идёт! Пойдём скоре́е!

II. *Leaving the underground station at Gorky Park*

Тама́ра: Ну, вот уже́ втора́я ста́нция. Зна́чит, на́ша. Пойдёмте! Парк недалеко́. Вот вход в парк. Послу́шайте, кто э́то поёт?

Ми́ша: По-мо́ему, идёт конце́рт в па́рке. Да. Вот там игра́ет орке́стр и поёт де́вушка. Пойдём послу́шаем.

Тама́ра: А что она́ поёт?

Ми́ша: Пе́сню о Москве́. Это о́чень попула́рная пе́сня. Вы не зна́ете её?

Тама́ра: Ах, да, я её слу́шала по ра́дио вчера́ ве́чером. Де́вушка хорошо́ поёт. Как вы ду́маете, Бори́с Петро́вич? А где же он. Не ви́жу его́.

Ми́ша: Куда́ же он пошёл? Пойдём в буфе́т, посмо́трим. Мо́жет быть он там.

Тама́ра: Да, вот он! Говори́т с де́вушкой.

Бори́с: А, вот и вы! Здесь о́чень хоро́шее моро́женое. Хоти́те?

Тама́ра: Я всегда́ люблю́ моро́женое. Спаси́бо, Бори́с Петро́вич.

Бори́с: Вам то́же, Ми́ша?

Ми́ша: Да, пожа́луйста. А где же де́вушка?

Бори́с: Кака́я де́вушка?

Ми́ша: Вот вы како́й, Бори́с Петро́вич! С ва́ми была́ де́вушка. Вот мы слу́шаем конце́рт, смо́трим: вы с де́вушкой в буфе́те!

Тама́ра: Уви́дели де́вушку, забы́ли о нас!

Слова́рь

вы́ход	exit	по́езд	train
послу́шайте!	listen!		
орке́стр	band, orchestra		

[handwritten notes:] ✗ hurry 1 singing 2 second 3 maybe

У директора парка–любовное свидание.

–Конечно, я хотел купить только одно, но, понимаете, у человека не было копеек. Надо было всё взять!

–Это, может быть, некультурно,–но стакана нет!
стака́н drinking glass

–Иди скорее! Он не пьёт, не ест.

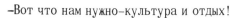

–Вот что нам нужно–культура и отдых!

Выраже́ния

А, вот и вы   Ah, there you are

Вопро́сы к те́ксту

1. Куда́ идёт Бори́с Петро́вич?
2. Он чита́ет по-ру́сски?
3. Что ду́мают Ми́ша и Тама́ра, когда́ они́ не ви́дят Бори́са?
4. Как они́ взя́ли биле́ты на метро́?
5. Ско́лько сто́ят биле́ты на метро?

6. Кто поёт в па́рке?
7. Что она́ поёт?
8. Куда́ пошёл Бори́с Петро́вич?
9. С кем (with whom) был Бори́с Петро́вич?

Упражне́ния

DRILL 1: *In the Park of Culture and Rest you will find lots of them.*

(красивая птица)
В парке культуры и отдыха красивые птицы.

(английский студент)
В парке культуры и отдыха английские студенты.

(русская девушка, английская студентка, классический концерт, красивый киоск, большой оркестр, популярный артист)

DRILL 2: *That's what she's singing about.*

(город) Что она поёт?
Она поёт песню о городе.

(Москва) Что она поёт?
Она поёт песню о Москве.

(Киев, Лондон, гостиница, парк, Ленин, гитара)

DRILL 3: *There aren't as many in Kiev as in Moscow.*

(рестораны)
В Киеве не так много ресторанов как в Москве.

(парки)
В Киеве не так много парков как в Москве.

(буфеты, киоски, стадионы, автобусы, театры, проспекты, туристы)

DRILL 4:

Сколько у вас журналов?
У меня только один журнал.

Сколько у вас булочек?
У меня только одна булочка.

(девушек, марок, чемоданов, комнат, гитар, студентов, автоматов, птиц)

DRILL 5: *Shall we go together, then?*

Нина хочет пойти в город.
Так мы можем пойти вместе с Ниной?

Студент хочет пойти в город.
Так мы можем пойти вместе со студентом?

(администратор, девушка, турист, студентка, товарищ)

DRILL 6: *No, not that way . That's the way out.*
Pay particular attention to intonation in this drill.

Пойдем в гостиницу.
Нет, не туда. Это выход.

Пойдем в ресторан.
Нет, не туда. Это выход.

(кафе, буфет, парк, мавзолей, библиотека, театр, университет)

20. Двадца́тый уро́к

Диало́ги

I. *Boris Petrovich, Misha, Nina and Tamara in the hotel restaurant*

Бори́с: Прошу́ вас, това́рищи. Сади́тесь, пожа́луйста. За́втра я уже́ е́ду домо́й в Ки́ев. Хорошо́, что вы все здесь, и мы мо́жем пое́сть и вы́пить вме́сте. Вот меню́, что вы хоти́те? Ни́на . . .

Ни́на: Ви́жу в меню́ моско́вский сала́т. Я его́ о́чень люблю́.

Тама́ра: Я то́же хочу́ моско́вский сала́т, пожа́луйста.

Бори́с: А для вас, Ми́ша?

Ми́ша: Посмо́трим, како́й суп в меню́ . . . А вот борщ. Хорошо́, я возьму́ борщ.

Бори́с: Да, я то́же возьму́ борщ. (To waitress) А скажи́те, де́вушка, бифште́ксы у вас хоро́шие?

Де́вушка: Да, коне́чно. Очень хоро́шие.

Бори́с: Зна́чит мы все возьмём бифште́ксы, да, това́рищи?

М., Н., и Т.: Да, пожа́луйста.

Де́вушка: А моро́женого хоти́те?

Бори́с: Да, да́йте четы́ре, пожа́луйста.

Де́вушка: Значит, два сала́та, два борща́, четы́ре бифште́кса и моро́женое. Всё?

Ни́на: А лимона́д мо́жно?

Бори́с: Да нет, сего́дня на́до во́дку пить!

Тама́ра: Я не пью во́дки.

Ни́на: Я то́же не пью.

Бори́с: Хорошо́, мы с Ми́шей вы́пьем во́дки, а вы, де́вушки, шампа́нского.

Де́вушка: Это всё? Я сейча́с.

II. *The waitress comes back with drinks*

Де́вушка: Вот во́дка и шампа́нское, пожа́луйста.

Бори́с: Спаси́бо. На́ше сове́тское шампа́нское о́чень хоро́шее. Вот Ни́на . . . Тама́ра . . . Дороги́е мои́, я хоте́л вам сказа́ть, что я о́чень полюби́л и вас и Москву́. За ва́ше здоро́вье!

М , Н., и Т.: (in chorus) За ва́ше здоро́вье! (clinking of glasses).

Бори́с: Вы то́лько поду́майте, как мне прия́тно бы́ло гуля́ть с ва́ми по Москве́. Ско́лько мы ви́дели вме́сте! Я был здесь то́лько четы́ре дня. Пра́вда, хорошо́, что вы тогда́ были в аэропо́рте, Ми́ша? Я, коне́чно, ви́дел фотогра́фии Москвы́ и знал, что Москва́ краси́вый го́род. Но я не знал, что москвичи́ таки́е до́брые и что моско́вские де́вушки таки́е краси́вые.

Ни́на: Ах, вы како́й, Бори́с Петро́вич!

Ми́ша: Да, зна́ем, как вы лю́бите гуля́ть с де́вушками! А в Ки́еве де́вушки некраси́вые, Бори́с Петро́вич?

Бори́с: Нет, они́, коне́чно, то́же краси́вые, но тепе́рь я ду́маю то́лько о Москве́!

Тама́ра: А вы забы́ли о на́шем Ки́еве?

Бори́с: Прости́те, Тама́ра, я забы́л, что вы из Ки́ева. Так вы́пьем вме́сте за Москву́!

Тама́ра: За Москву́! (clinking of glasses).

\# борщ - beet soup

* тепе́рь - now

Слова́рь

за́втра	tomorrow		суп	beetroot soup
все	all		бифште́кс	steak
вме́сте	together		во́дка	
тогда́	then		шампа́нское	champagne
меню́	menu		сове́тский	Soviet
сала́т	salad		до́брый	good, kind

Выраже́ния

уе́ду домо́й	I'm off home
прошу́ вас	If you please (I beg you)
я сейча́с	I'll be back in a second (immediately)
ско́лько мы ви́дели вме́сте!	How much we've seen together!
с кем	with whom

Вопро́сы к те́ксту

1. Когда́ уе́дет Бори́с Петро́вич?
2. Что возьмёт Тама́ра?
3. Кто хо́чет моро́женое?
4. Что они́ пьют?
5. Сове́тское шампа́нское хоро́шее?

6. Бори́су бы́ло прия́тно в Москве́?
7. Что говоря́т ру́сские, когда́ они́ пьют?
8. Ско́лько дней Бори́с был в Москве́?
9. Из како́го го́рода Тама́ра?
10. С кем Бори́с лю́бит гуля́ть?

Подожди́те-уви́дите.
Сейча́с официа́нт бу́дет.

Грамматические примечания

A. In the previous lesson we had an example of a noun which looks like an adjective, namely мороженое (ice-cream). Earlier you had душевая (shower-room). In this lesson there is another noun that looks like an adjective—шампанское (champagne). It is, of course, a neuter form.

B. Большбе спасибо за очень приятный вечер (Thank you for a very pleasant evening). *За is used with the accusative case to mean 'for'*. It is used in a similar way when Boris makes a toast, e.g. За ваше здоровье! (your health); за Москву! (here's to Moscow), etc.

takes instrumental to mean behind

C. Instrumental singular with *c*. Here are some revision practice examples:

Вот ваш паспорт.	Вы идёте в гостиницу?	Да, надо быть там с паспортом.
Вот ваша сумка.	Вы идёте в гостиницу?	Да, надо быть там с сумкой.
Вот ваш чемодан.	Вы идёте в гостиницу?	Да, надо быть там с чемоданом.

D. Misha says Да, знаем, как вы любите гулять с девушками (yes, we know how you love to stroll with the girls). Девушками is an instrumental plural after *c*. Nearly all the nouns you have met have -ами as their ending in the instrumental plural. Those with soft endings take -ями (see Declension Tables p. 127). Two exceptions are дети (children) and люди (people) with instrumental plural детьми and людьми. *-ьми ending*

E. The present tense of the verb пить/выпить is

я пью **I drink**	мы пьём
ты пьёшь	вы пьёте
он пьёт	они пьют

Упражнения

DRILL 1: *I'll take the first choice.*
Что вы хотите, фрукты или булочки?
Я возьму фрукты.

Что вы хотите, булочки или салат?
Я возьму булочки.

(салат/бифштексы; бифштексы/суп; суп/борщ, борщ/мороженое; мороженое/фрукты)

DRILL 2: *No, I won't have any.*
Салат хотите?
Нет, салата я не возьму.

Бифштексы хотите?
Нет, бифштексов я не возьму.

(суп, фрукты, мороженое, борщ, московский салат, булочки)

DRILL 3: *Yes, not just his one, but they are so in general here.*
Этот бифштекс очень хороший.
Да, здесь бифштексы очень хорошие.

Эта сумка очень дорогая.
Да, здесь сумки очень дорогие.

(журнал/интересный; оркестр/хороший; девушка/красивая; марка/красивая; студент/серьезный)

DRILL 4: *Yes, you know how I love walking in the park with these people.*
Вчера я видел вас с девушкой в парке.
Да, вы знаете, как люблю гулять с девушками.

Вчера я видел вас с туристом в парке.
Да, вы знаете, как я люблю гулять с туристами.

(студент, студентка, администратор, артист, товарищ)

DRILL 5: *This is the second one now. That means it's ours.*

(станция)

Вот уже вторая станция. Значит, наша.

(автобус)

Вот уже второй автобус. Значит, наш.

(поезд, номер, гостиница, трамвай, этаж, душевая, комната, выход, очередь)

DRILL 6: *Yes, we were talking about you.*

Вы были у администратора?

Да, я говорил с ним о вас.

Вы были у девушки?

Да, я говорил с ней о вас.

(студентка, турист, мама, артист, студент, Нина, Миша, Борис)

Пе́сня

ДО СВИДА́НИЯ

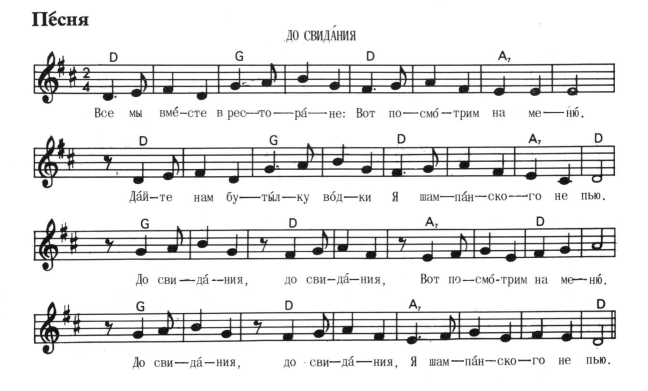

Все мы вме́сте в рес—то—ра́—не: Вот по—смо́—трим на ме—ню́.

Да́й—те нам бу—ты́л—ку во́д—ки Я шам—па́н—ско—го не пью.

До сви—да́—ния, до сви—да́—ния, Вот по—смо́—трим на ме—ню́.

До сви—да́—ния, до-сви—да́—ния, Я шам—па́н—ско—го не пью.

1. Все мы вме́сте в рестора́не:
   Вот посмо́трим на меню́.
   Да́йте нам буты́лку во́дки—
   Я шампа́нского не пью.
   До свида́ния, до свида́ния,
   Вот посмо́трим на меню́.
   До свида́ния, до свида́ния,
   Я шампа́нского не пью.

   на слу́жбу to work, to the office
   я живу́ I live

2. Еду я опя́ть на слу́жбу
   В Ки́ев, где давно́ живу́:
   Вы́пьем все за на́шу дру́жбу,
   За краси́вую Москву́!
   До свида́ния, до свида́ния,
   В Ки́еве, где я живу́.
   До свида́ния, до свида́ния,
   За краси́вую Москву́!

   дру́жба friendship
   давно́ for a long time now

21. Двадцать первый урок

Диалоги

I. *The waitress comes up with food*

Миша: А вот уже́ наш борщ!

Де́вушка: Вот ваш борщ. А сала́т для вас, да?

Ни́на: Да, спаси́бо. Это для меня́ и для Тама́ры.

Де́вушка А бифште́ксы и моро́женое, э́то для всех, я ду́маю.

Бори́с: А вот мы уже́ вы́пили всю во́дку.

Миша: Нет, спаси́бо.

Бори́с: Мо́жет быть, вы́пьем шампа́нского?

Миша: Но э́то так до́рого сто́ит, Бори́с Петро́вич!

Бори́с: Ничего́, Ми́ша. Пе́йте на здоро́вье! Де́вушка, да́йте нам ещё одну́ буты́лку шампа́нского.

Де́вушка: Хорошо́. Одну́ мину́тку.

Ни́на: Когда́ вы за́втра е́дете, Бори́с Петро́вич?

Бори́с: Мне на́до быть в аэропо́рте в во́семь часо́в.

Ни́на: В во́семь часо́в ве́чера?

Бори́с: Нет, во́семь утра́. На́до быть там с па́спортом и с багажо́м.

Миша: Де́вушки, мы то́же пое́дем в аэропо́рт с Бори́сом Петро́вичем?

Ни́на: Да, я о́чень хоте́ла бы пое́хать, но мне на́до быть в библиоте́ке в во́семь часо́в. Прости́те, Бори́с Петро́вич.

Бори́с: Ничего́, я зна́ю, что вы така́я серьёзная студе́нтка, Ни́на.

Миша: А вы Тама́ра?

Тама́ра: Да, я пое́ду.

Де́вушка: Вот буты́лка шампа́нского.

Бори́с: Как хорошо́ ... Дороги́е мои́, я хоте́л вам сказа́ть, что я так люблю́ вас ... так люблю́ Москву́ ...

М., Н., и Т.: Да, да. За ва́ше здоро́вье! ... За Москву́! За дру́жбу! ... За Ки́ев!

II. *The foyer of Boris Petrovich's hotel the following morning*

Миша: Скажи́те, пожа́луйста, Бори́с Петро́вич Ма́йский ещё в гости́нице?

Администра́тор: Да, вот его́ па́спорт. Я ви́дела его́ сего́дня у́тром. Он за́втракал в буфе́те. Я ду́маю, что он сейча́с в но́мере. Это но́мер три, да́льше по коридо́ру.

Миша: Спаси́бо. Я пойду́, посмотрю́. (Goes to Boris's room, knocks).

Бори́с: Кто там? А, э́то вы Ми́ша! До́брое у́тро!

Миша: До́брое у́тро, Бори́с Петро́вич. Пора́ уже́ е́хать.

Бори́с: Кото́рый час?

Миша: Уже́ семь часо́в.

Бори́с: Вы ви́дели такси́ у вхо́да?

Миша: Да, ви́дел. А где ваш бага́ж?

Бори́с: Вот на дива́не чемода́н, портфе́ль и су́мка с пода́рками для ма́мы и для Ва́ли.

Миша: Да́йте мне чемода́н и пойдём.

Бори́с: Одну́ мину́тку, я о́чень хочу́ вы́пить воды́. Ой-ой! Ско́лько во́дки мы вы́пили вчера́ ве́чером! (Goes to tap, sound of running water.) Ах, чёрт! Вода́ горя́чая! Как же так? Когда́ я был в душево́й, была́ то́лько холо́дная вода́. А сейча́с, когда́ я хочу́ вы́пить холо́дной воды́, вода́ горя́чая!

Ми́ша: Ну вот, зна́чит был ремо́нт, а тепе́рь всё в гости́нице рабо́тает.

Бори́с: Вот, я здесь уже́ четы́ре дня. Лифт не рабо́тал, душева́я не рабо́тала, ничего́ не рабо́тало, а сейча́с когда́ я е́ду, всё рабо́тает. Ничего́, пойдём, Ми́ша.

III. *Still in Boris Petrovich's room.*

Ми́ша: А где Тама́ра? Она́ сказа́ла, что пое́дет с на́ми в аэропо́рт. Подожда́ть её и́ли нет?

Бори́с: Нет, уже́ пора́. Пойдём. (**Phone rings**) Алло́. Я слу́шаю.

Тама́ра: Э́то вы, Бори́с Петро́вич?

Бори́с: Да, э́то я. Э́то Тама́ра? Мы говори́ли о вас. Мы уже́ е́дем.

Тама́ра: Прости́те, Бори́с Петро́вич! Мне нехорошо́ по́сле шампа́нского. Я не пое́ду с ва́ми в аэропо́рт. Спаси́бо за всё. Всего́ хоро́шего . . .

Бори́с: До свида́ния, Тама́ра, и всего́ хоро́шего.

Ми́ша: Она́ не пое́дет? Я так и ду́мал. Де́вушки все таки́е!

Бори́с: Ничего́, она́ хо́чет отдыха́ть. А мне на́до е́хать! Что ж поде́лаешь! ✳

Ми́ша: Да, пойдём поскоре́е, Бори́с Петро́вич! (**They go out of the room to the hall desk.**)

Администра́тор: Вот ваш па́спорт, това́рищ Ма́йский. Такси́ у вхо́да.

Бори́с: Мо́жно у вас купи́ть ещё три-четы́ре откры́тки? Я так люблю́ э́ту фотогра́фию Большо́го теа́тра.

Администра́тор: Нет, здесь закры́то. Я ду́маю, что кио́ск на пло́щади Револю́ции уже́ откры́т. Там мо́жно купи́ть газе́ты, журна́лы и откры́тки.

Ми́ша: Не на́до, Бори́с Петро́вич. Уже́ по́здно. Такси́ у вхо́да. В аэропо́рте кио́ск всегда́ откры́т.

Администра́тор: До свида́ния и до́брого пути́!

Бори́с: Спаси́бо. До свида́ния.

What can yu do?

Слова́рь

горя́чая	hot
до́брого пути́	have a good journey
тепе́рь	now

Вопро́сы к те́ксту

1. Для кого́ сала́т?
2. Для кого́ бифште́ксы и моро́женое?
3. Что пьют Бори́с и Ми́ша по́сле во́дки?
4. В кото́ром часу́ Бори́с уе́дет?
5. Кто хо́чет пое́хать в аэропо́рт с Бори́сом?
6. Како́й бага́ж у Бори́са?
7. Почему́ Бори́су ну́жно вы́пить воды́?
8. Как Бори́с е́дет в аэропо́рт?
9. Почему́ вода́ тепе́рь тёплая?
10. Почему́ Тама́ра не е́дет с Бори́сом в аэропо́рт?

Пе́сня

ДО СВИДА́НИЯ

3. Тама́ра ве́чером хоте́ла
   Е́хать с на́ми: ну, пора́!
   Она́, коне́чно, не пое́дет–
   Мно́го вы́пила вчера́!
   До свида́ния, до свида́ния,
   Е́хать с на́ми, ну, пора́!
   До свида́ния, до свида́ния,
   Мно́го вы́пила вчера́!

4. Вот коне́ц рабо́ты на́шей;
   Мы сейча́с домо́й пойдём.
   Все мы говори́м по-ру́сски
   И по-ру́сски мы поём!*
   До свида́ния, до свида́ния,
   Мы сейча́с домо́й пойдём.
   До свида́ния, до свида́ния,
   И по-ру́сски мы поём!

пора́ it's time

*sing

Текст для чте́ния

МЕЖДУНАРОДНЫЙ ЯЗЫК

Надя очень хорошо говорит по-английски. Она жила в Лондоне три года, когда её папа работал там в консульстве. В метро, в автобусе, в театре, на улице она слушала, как англичане говорят по-английски, слушала английское радио. Дома она тоже работала, читала книги на английском языке и вот теперь она переводчица.

Надя переводит с русского языка на английский или с английского на русский. Переводит письма, статьи, лекции, даже одну книгу перевела.

Но са́мая интересная работа для Нади тогда, когда в Лондоне или Нью-Йорке бывает Советская выставка. Вот в прошлом году она поехала в Лондон, где была большая выставка на Эрльс-Корте.

Она жила в гостинице недалеко от станции метро и от выставки. Лондон очень большой город и поэтому вечером после работы она спрашивала своих русских друзей:

–Хотите, я пойду с вами гулять по городу? Я хорошо знаю весь центр города.

Раз ей сказали:

–Наденька, вы знаете Васю Зубкова? Пойдите с ним, куда он хочет. Он приехал на выставку в июле, по-английски не говорит и ещё ни разу не был в центре города.

–С удовольствием! – ответила Надя – Куда вы хотите идти, Вася? Магазины смотреть или реку Темзу? Или купить подарок кому хотите?

Зубцов, инженер лет тридцати пяти, покачал головой.

–Нет, Надя, это всё мне не так интересно и всё это можно делать и без переводчика. Я во флоте служил, был и в Гибралтаре, и в Рио де Жанейро, и в Сингапуре. Идёшь в магазин, видишь, что тебе надо, ну, фрукты, или макинтош, или бутылку вина и говоришь руками «на международном языке». И хорошо, понимают. Кто хочет, тот понимает. Меня что-то другое интересует.

–А что именно?

–Это длинная история. Был я тогда студентом, один в большом, чужом городе. Трудно мне было и невесело. Был я раз в комиссионном магазине и увидел там картину, – не оригинал, конечно, а цветную литографию. На ней был полный человек в старинном костюме, в большой чёрной шляпе, с усами. И он смеялся. Так весело смеялся, что, когда я на него посмотрел, мне тоже стало весело.

* lived
1 in English
2 even
3 there is
4 whole
5 Thames river
6 around
7 shook his head
8 served
9 speak w/hands
10 he
11 exactly

Я купил эту литографию и она и сейчас у меня в столовой виси́т. Когда мне грустно или скучно, я только посмотрю на портрет и мне сразу на душе хорошо. Мне сказали, что оригинал этой картины в Лондоне. Вот вы тут всё знаете и по-английски так хорошо говорите! Помогите мне найти этот портрет!

–Какой вы смешной! Вы так хорошо описали этот портрет, что я уже знаю, куда нам надо ехать. Вы увидите вашу любимую картину через полчаса. Она не в Британском музее, не в Национальной галлерее, а в Коллекции Уолласа. *'Laughing Cavalier'*-Смеющийся кавалер. Я тоже сразу полюбила эту картину. Идёмте. Это совсем близко.[1] Поедем на метро на Марбль Арч, пойдём по Оксфорд Стрит, там это около[2] универмага «Селфриджес», налево.

–Большое спасибо. Видите, я думаю, этот портрет тоже говорит без переводчика на «междунаро́дном языке́». Это не эсперанто. Его все понимают. Этот язык называется–смех.

1 near, close by
2 around, by

междунаро́дный	international	неве́село	miserable
ко́нсульство	consulate	комисси́онный магази́н	second-hand shop
англича́не	English people	карти́на	picture
переводи́ть	to translate	цветно́й	coloured
статья́	article	по́лный	plump
перевела́	translated	стари́нный	old-fashioned
са́мая	most	чёрный	black
в про́шлом году́	last year	шля́па	hat
перево́дчик *m.*	translator	усы́	moustache
перево́дчица *f.*		смея́ться	to laugh
поэ́тому	therefore	висе́ть	to hang
спра́шивать	to ask	гру́стно	sad
друзья́	friends	ску́чно	melancholy
раз	once, one day	сра́зу	at once
июль	July	на душе́ хорошо́	cheerful
ни ра́зу	not once	помо́чь	to help
с удово́льствием	with pleasure	найти́	to find
река́	river	смешно́й	funny
инжене́р	engineer	описа́ть	to describe
покача́ть голово́й	to shake one's head	че́рез полчаса́	in half an hour
флот	navy	музе́й	museum
служи́ть	to serve	совсе́м	quite
что-то друго́е	something else	универма́г	department store
и́менно	exactly	нале́во	on the left
дли́нный	long	понима́ть	to understand
чужо́й	strange, foreign	называ́ться	to be called
тру́дно	difficult	смех	laughter

Comprehension questions

1. Что делает переводчик?

A Играет.
B Гуляет.
C Переводит.
D Служит.

2. Где была Советская выставка в прошлом году?

A В Сингапуре.
B В Лондоне.
C В Рио де Жанейро.
D В Нью-Йорке.

3. Где Надя работала?

A На улице.
B В гостинице.
C В консульстве.
D На выставке.

4. На каком языке Вася говорит с Надей?

A По-английски.
B На международном языке.
C По-русски.
D На эсперанто.

5. Что делает человек на портрете?

A Смеётся.
B Ходит.
C Понимает.
D Помогает.

6. Почему Вася и Надя идут смотреть Коллекцию Уолласа? Потому что

A Вася служил во флоте.
B Вася приехал на выставку в июле.
C Вася не говорит по-английски.
D Вася хочет видеть оригинал картины.

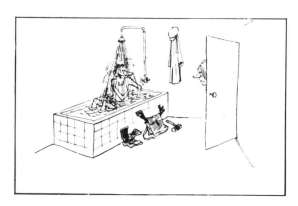

Теперь ваш душ уже очень хорошо работает!

святáя holy

22. Двадцать второй урок

Revision Exercises

Please refer to the grammatical section at the end of the book.

NOUNS

a) *masculine*

1. A tourist with a suitcase.
2. A student with a briefcase.
3. Boris and Misha are in the university.
4. Why isn't there a conductor on this bus?
5. Who's that coming with a present?
6. Give the record to the Englishman.
7. The tourist needs to speak Russian.
8. In London there are many restaurants.
9. Why are you travelling without luggage?
10. I have no suitcases.
11. Who's that working with those students?
12. This morning we strolled around the town.

b) *feminine*

1. How pleasant it is in Moscow.
2. Tell me, are you from England or from America?
3. There are many libraries in the centre of Moscow.
4. My hotel is on Revolution Square.
5. Who's that girl working in the library?
6. Give me six records please.
7. There were no pretty girls at the concert.
8. Your bag is in my room.
9. The student is singing a song about Moscow.
10. There are automatic barriers(автоматы)on all the metro stations.

VERBS

Present tense:

Type Ia

A. 1. Do you know she reads Russian?
   2. Where do you have breakfast?
   3. We are working when you are resting.
   4. When do you finish work?
   5. What are they doing?
   6. They are playing football.

Type Ib

B. 1. Let's drink to Moscow!
   2. We'll wait for him by the entrance.
   3. They are going by taxi to Gorky Park
   4. I'll take ice cream please.
   5. What are you drinking?
   6. I'll tell him you're at the football match.

Type II

C. 1. Do you like watching football?
   2. I see that Dynamo are playing tomorrow.
   3. We are watching a film about Mozart.
   4. I will buy the tickets and then ring you.
   5. Do they like champagne?
   6. We always see him on the Metro.

Mixed types

D. 1. Do they know that I always like to go by bus?
   2. Would you like to go to Kiev by bus?
   3. Wait! He's working.
   4. Get the tickets, ring Nina and tell her that we are going to a concert together.
   5. The students are strolling in the park and looking at the girls.
   6. They say that it is impolite to eat ice-cream on the Metro.

Past Tense:

All types

E. 1. They knew that we had been drinking vodka.
   2. I wanted to go for a walk, but Mother said that I had to rest.
   3. We were travelling to the centre of Moscow and looking at all the tourists.
   4. I was reading the magazine '*Anglia*' when Nina rang.
   5. They bought a bottle of champagne and drank to Boris Petrovich's health.

Grammar Reference

Spelling Rules

1. The letters к, г, х, ш, ж, ч and щ can be followed by и but never by ы. After ш and ж, however, the letter и has the same sound as the letter ы.
2. The letter ц is normally followed by и in word stems, but always by ы in endings. In either case one pronounces ы.
3. Vowels which follow г, к, х, ш, ж, ч, щ and ц are, except in very few cases (e.g. Note 2 above) а, е, и, о and у.
4. In adjective and pronoun endings, e.g. -ого and -его, the letter г is pronounced в.
5. Unstressed о cannot follow ж, ш, ч, щ and ц. It is replaced by е in these positions.

The Case System

I   One of the main difficulties which is encountered by an Englishman learning Russian is caused by the fact that Russian, unlike English, is an inflected language. That is, the endings of nouns, pronouns and adjectives change according to the function of the word in a sentence. The endings of verbs change according to tense and according to the number and (in the past tense) the gender of their subjects. We have introduced cases gradually in the dialogues so that students would experience minimum difficulty in absorbing them.

II Here are the cases in Russian, together with a brief description of where they are used.

Nominative: the 'naming' case. This is used for the subject of a sentence and is the case that one would find as a dictionary entry.

Accusative: the case of the direct object of the sentence. The accusative is also used after в and на when motion is involved and they mean 'to' or 'into' and 'onto'.
(For the accusative of animate nouns, see Lesson 13).

Genitive: the 'of' case. Used to indicate 'possession' or 'partitively' to indicate a quantity *of* something, e.g. a bottle of champagne. The second important use of the genitive is in conjunction with certain negative expressions, e.g. у меня нет *лимонáда* (I have no lemonade). The genitive is also sometimes used as the direct object of a negative verb. Thirdly, the genitive is used after numerals (except одúн [one] where the nominative is used). After два, три, четы́ре the genitive singular is used, and atter other numbers the genitive plural. (See Lessons 6, 9 and 11).

Dative: the 'to' case. The Dative is used as the indirect object of many verbs, in particular 'giving' verbs— Дáйте мне бýлочку (Give [to] me [dat.] a roll [acc.]). The second important use of the dative in this course is with impersonal expressions, e.g. вам интерéсно (you are interested), мне хóлодно (I am cold), etc.

Instrumental: used to express the instrument with which an action is performed. Used to express the complement of certain verbs.

Locative: the 'location' case. This case is never used without a preposition, and is therefore sometimes referred to as the 'Prepositional' case. The prepositions used with this case in the course are в and на, when these mean 'in' and 'on', and о (about).

III *Prepositions:* All Russian cases except the nominative may be governed by a preposition. Here is a list of cases with the prepositions we have used in the course.

Accusative:	в, на, за (for)
Genitive:	у, из, от, до, для, без, с (from)
Dative:	к, по
Instrumental:	с (with)
Locative:	в, на, о

IV Nouns in Russian are of three genders: masculine, neuter or feminine. The gender of a noun can normally be determined by the ending. The following table illustrates the typical endings for the three genders.

Masculine	*Feminine*	*Neuter*
consonant	-а	-о
-й	-я	-е
-ь	-ь	-ие
	-ия	-ия

Declension Tables   *⸻ everything except dat. + loc. plural*

NOUNS

Hard endings

Masculine (consonant)

	Singular	Plural
Nom.	чемода́н	чемода́ны
Acc.	чемода́н*	чемода́ны*
Gen.	чемода́на	чемода́нов
Dat.	чемода́ну	(чемода́нам)
Instr.	чемода́ном	чемода́нами
Loc.	в чемода́не	(в чемода́нах)

Neuter in -о

	Singular	Plural
Nom.	ме́сто	места́
Acc.	ме́сто	места́
Gen.	ме́ста	мест
Dat.	ме́сту	места́м
Instr.	ме́стом	места́ми
Loc.	о ме́сте	о места́х

Feminine in -а́

	Singular	Plural
Nom.	ко́мната	ко́мнаты
Acc.	ко́мнату	ко́мнаты*
Gen.	ко́мнаты	ко́мнат
Dat.	ко́мнате	ко́мнатам
Instr.	ко́мнатой	ко́мнатами
Loc.	в ко́мнате	в ко́мнатах

Soft endings

Masculine in -ь

	Singular	Plural
Nom.	портфе́ль	портфе́ли
Acc.	портфе́ль*	портфе́ли*
Gen.	портфе́ля	портфе́лей
Dat.	портфе́лю	портфе́лям
Instr.	портфе́лем	портфе́лями
Loc.	в портфе́ле	в портфе́лях

Neuter in -ие

	Singular	Plural
Nom.	свида́ние	свида́ния
Acc.	свида́ние	свида́ния
Gen.	свида́ния	свида́ний
Dat.	свида́нию	свида́ниям
Instr.	свида́нием	свида́ниями
Loc.	о свида́нии	о свида́ниях

Feminine in -ия

	Singular	Plural
Nom.	фами́лия	фами́лии
Acc.	фами́лию	фами́лии*
Gen.	фами́лии	фами́лий
Dat.	фами́лии	фами́лиям
Instr.	фами́лией	фами́лиями
Loc.	о фами́лии	о фами́лиях

N.B. These accusative forms are for inanimate nouns only. All animate masculine nouns have an accusative form like the genitive; and this applies to animate feminine nouns in the plural. (See Lesson 13, Note B).

Feminine in -ь

пло́щадь	пло́щади
пло́щадь	пло́щади*
пло́щади	площаде́й
пло́щади	площадя́м
пло́щадью	площадя́ми
пло́щади	площадя́х

ADJECTIVES

Hard endings	*Masculine*	*Neuter*	*Feminine*	*Plural*
Nom.	интере́сный	интере́сное	интере́сная	интере́сные
Acc.	интере́сный*	интере́сное	интере́сную	интере́сные*
Gen.	интере́сного		интере́сной	интере́сных
Dat.	интере́сному		интере́сной	интере́сным
Instr.	интере́сным		интере́сной	интере́сными
Loc.	интере́сном		интере́сной	интере́сных

Spelling rules: (*a*) Where stem ends in г, к, or х (e.g. ру́сский), spelling rule I applies to the endings.

(*b*) Where stem ends in ш, щ, ж, or ч, and ending is unstressed, spelling rules 1 and 5 apply, as follows:

	Masculine	*Neuter*	*Feminine*	*Plural*
Nom.	хоро́шйй	хоро́шее	хоро́шая	хоро́шие
Acc.	хоро́ший*	хоро́шее	хоро́шую	хоро́шие*
Gen.	хоро́шего		хоро́шей	хоро́ших
Dat.	хоро́шему		хоро́шей	хоро́шим
Instr.	хоро́шим		хоро́шей	хоро́шими
Loc.	хоро́ших		хоро́шей	хоро́ших

Soft endings

There is a small number of adjectives which have soft endings throughout e.g. вече́рний (*Neuter* вече́рнее, *Feminine* вече́рняя, *Plural* вече́рние).

N.B. The animate/inanimate rule applies to adjectives as well as to nouns.

PRONOUNS

Singular

Nom.	я	ты	оно́	она́
Acc.	меня́	тебя́	его́	её
Gen.	меня́	тебя́	его́	её
Dat.	мне	тебе́	ему́	ей
Instr.	мной	тобо́й	им	ей or éю)
Loc. = Prepositional	(обо) мне	(о) тебе́	(о) нём*	(о) ней

Plural

Nom.	мы	вы	они́
Acc.	нас	вас	их
Gen.	нас	вас	их
Dat.	нам	вам	им
Instr.	на́ми	ва́ми	и́ми
Loc.	(o) них → нас	(o) вас	(o) них

[Notice that when the pronoun begins with a vowel and is governed by a preposition, н is added, e.g. о нём, у них (gen.), etc.]

Possessive Pronouns. These behave like adjectives and have the same endings as хоро́ший, except in the following cases.

	Masculine	*Feminine*	*Neuter*	*Plural*
Nom.	ваш	ва́ша	ва́ше	ва́ши
Acc.	ваш	ва́шу	ва́ше	ва́ши

[like ваш is наш]

	Masculine	*Feminine*	*Neuter*	*Plural*
Nom.	мой	моя́	моё	мои́
Acc.	мой	мою́	моё	мои́

Conjugation Tables

VERBS
Present Tense

	Ia	*Ib*	*II*
	я слу́шаю	я иду́	я говорю́
	ты слу́шаешь	ты идёшь	ты говори́шь
	он слу́шает	он идёт	он говори́т
	мы слу́шаем	мы идём	мы говори́м
	вы слу́шаете	вы идёте	вы говори́те
	она́ слу́шают	они́ идут	они́ говоря́т

Past Tense (Imperfective)

		Ia	*Ib*	*II*
singular.	masculine	слу́шал	шёл	говори́л
	feminine	слу́шала	шла	говори́ла
	neuter	слу́шало	шло	говори́ло
plural		слу́шали	шли	говори́ли

Future Tense (Perfective)

	Ia	*Ib*	*II*
	я послу́шаю	я пойду́	я скажу́
	ты послу́шаешь	ты пойдёшь	ты ска́жешь

[The remaining endings are like the present tense]

Other verbs classified according to type:

Ia знать, чита́ть, игра́ть, ду́мать, рабо́тать, за́втракать, де́лать, гуля́ть, пожива́ть, отдыха́ть, конча́ть.

Ib пить (пью, пьёшь), сказа́ть, подожда́ть, е́хать (unstressed ending е́ду, е́дешь), взять (возьму́, возьмёшь).

II звони́ть, смотре́ть, люби́ть (люблю́, лю́бишь), купи́ть (куплю́, ку́пишь), ви́деть (ви́жу, ви́дишь).

Imperatives

сади́тесь (sit down)	подожди́те (wait)
да́йте (give [me])	пойдём [-те] (let's go)
прости́те (excuse [me])	пое́дем [-те] (let's go)
скажи́те (tell [me])	

Irregular Present Tense

хоте́ть (to want)	*есть* (to eat)
я хочу́	я ем
ты хо́чешь	ты ешь
он хо́чет	он ест
мы хоти́м	мы еди́м
вы хоти́те	вы еди́те
они́ хотя́т	они́ едя́т

Vocabulary

The list consists of:

(1) All words used in the dialogues of the course;

(2) Words used in songs, reading texts and elsewhere *before* appearing in a dialogue, but omitting about 150 words which occur only once (where the meaning is given at the place of occurrence).

The intention is that if the student fails to recognize a word at its second or third occurrence, this list will help him to retrace the context in which it was first encountered.

Plain numbers refer to the lessons in which words first occur in a dialogue. A number with a letter after it indicates one of the following:

H   first used as a heading
N   first used in a grammar note
D   first used in a drill
S   first used in a song
R   first used in a reading text
C   first used in a cartoon

а 1
автобус 6
автомат 15, 17
администратор 7
адрес 10R
английский 16
англичанин 16
  англичане 21R
Англия 4
артист 4
ах 4
аэропорт 1

багаж 1
без 15
безобразие 14
библиотека 5
билет 10
бифштекс 20
больше нет 12R
большое
  спасибо! 2
борщ 20
будет 14S
  будете 17
будка 10R
будто 17

булочка 5S, 8
бутылка 12
буфет 8
был 12
было бы 12
быстро 10R
быть 7

в 1S, 2
вас/у вас 3
ваш 1
везде 18R
весело 1
вечер 7
  вечером 11S, 12
взять 4S, 14
видите (видеть) 7
  вижу 9
вместе 8R, 18S, 20
вода 14
водка 20
возьмём 5S
  возьмите 14
  возьму 14
вокзал 14R
вопросы 1H
восемь 11
  до восьми 11

вот 2
  вот и 2
  вот и всё 8R
  вот как! 2
время 7
всегда 4
всего 8R
всё (весь) 11
  вся 10S, 11
второй 14
вход 8
вчера 13
выпить (пить) 12
  выпейте 5S
  выпьем 5
выражения 1H
выставка 12R
выход 19

где 1
гитара 5
  под гитару 6
говорит 9
  говорят 14
год 9
голова 16R
город 7

горячий 21
гостиница 3
грамматические
  примечания 1H
грампластинка 11
грустно 21R
гулять 10
ГУМ 11

да 1
да ничего 4
давайте
  послушаем 5S
давно 20S
даже 11
дайте (мне) 2S, 8
дала 13
далеко 5
дальше 14
два 2
двадцать 10R, 15
двенадцать 17
дверь 10R
девушка 8
девять 14
делать 9
день 10S, 13

Index of
Grammatical
Terms

The figures after each entry refer to the number of the lesson and the specific note explaining the item in question, e.g. adjective, long masc. 7A refers to the Grammar Notes for Lesson 7, section A, where a description of adjectives used with masculine nouns will be found.